Y0-BQY-765

STAR WARS®

LÉGENDES DES

JEDI™

La Guerre des Sith

Kevin J. Anderson

Dario Carrasco, Jr.

Traduction française de Marc Winckler

La Guerre des Sith

scénario : Kevin J. Anderson

dessin : Dario Carrasco, Jr.

encrage : Mark G.Heike, Bill Black & David Jacob Beckett

couvertures : Hugh Fleming

couleurs : Pamela Rambo

lettrage : Arboris

publisher : Mike Richardson

éditeur de la série originale : Bob Cooper

designer : Scott Tice

DARK HORSE FRANCE

Jean Martial Lefranc : éditeur de l'édition française

Eric Simon : responsable éditorial

Marc Winckler : traduction française

Olivier Foltzer : maquette

STAR WARS®, La Guerre des Sith
est publié par Dark Horse France
24 rue Marc Séguin, F-75018 Paris, France

STAR WARS

Chronologie Générale

Année -3992	Les Seigneurs des Sith *(un volume)*
Année -3990	La Guerre des Sith *(un volume)*
Année 0	La Guerre des Etoiles™ *le film*
Année +3	L'Empire Contre Attaque™ *le film*
Année +3	Les Ombres de l'Empire *(deux volumes)*
Année +4	Le Retour du Jedi™ *le film*
Année +4	X Wing *(à paraître, un volume)*
Année +9	L'Héritier de l'Empire *(trois volumes)*
Année +10	L'empire des ténèbres *(cinq volumes)*
Année +10	Boba Fett *(deux volumes)*

Six mois ont passé depuis qu'Exar Kun et Ulic Qel-Droma, adversaires de naguère, se sont alliés pour ressusciter l'Age d'Or des Sith.

Subjugué par les enseignements interdits, Exar Kun est tombé sous le joug mystique des anciennes pratiques Sith, et il doit désormais rassembler des fidèles pour le conduire à la victoire.

Cependant, derrière les murailles de fer de Cinnagar, dans le système impérial de Teta, Ulic Qel-Droma, désireux de venger la mort d'Arca, son mentor bien aimé, a lui aussi rencontré les forces du mal. Il a été empoisonné par les toxines Sith et séduit par sa perverse maîtresse, Aleema. L'esprit embrumé par le Côté Obscur, il s'est allié à Exar Kun et entreprend de rassembler une armée capable de renverser la grande République galactique.

Mais tandis que les plans s'échafaudent, d'autres guerriers impitoyables profitent de l'absence d'Ulic pour se tourner vers des proies faciles...

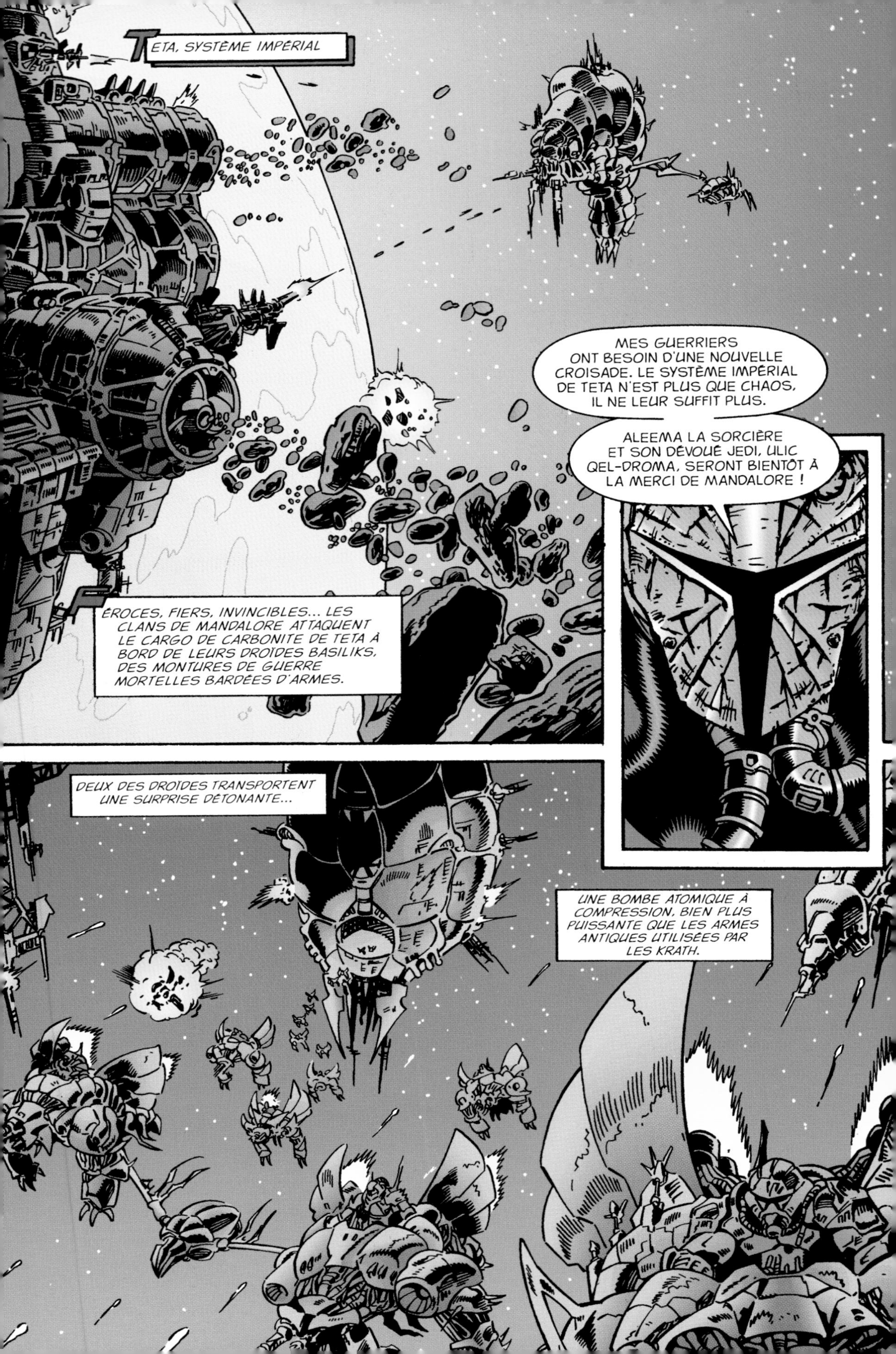
TETA, SYSTÈME IMPÉRIAL
FÉROCES, FIERS, INVINCIBLES... LES CLANS DE MANDALORE ATTAQUENT LE CARGO DE CARBONITE DE TETA À BORD DE LEURS DROÏDES BASILIKS, DES MONTURES DE GUERRE MORTELLES BARDÉES D'ARMES.
MES GUERRIERS ONT BESOIN D'UNE NOUVELLE CROISADE. LE SYSTÈME IMPÉRIAL DE TETA N'EST PLUS QUE CHAOS, IL NE LEUR SUFFIT PLUS.
ALEEMA LA SORCIÈRE ET SON DÉVOUÉ JEDI, ULIC QEL-DROMA, SERONT BIENTÔT À LA MERCI DE MANDALORE !
DEUX DES DROÏDES TRANSPORTENT UNE SURPRISE DÉTONANTE...
UNE BOMBE ATOMIQUE À COMPRESSION, BIEN PLUS PUISSANTE QUE LES ARMES ANTIQUES UTILISÉES PAR LES KRATH.

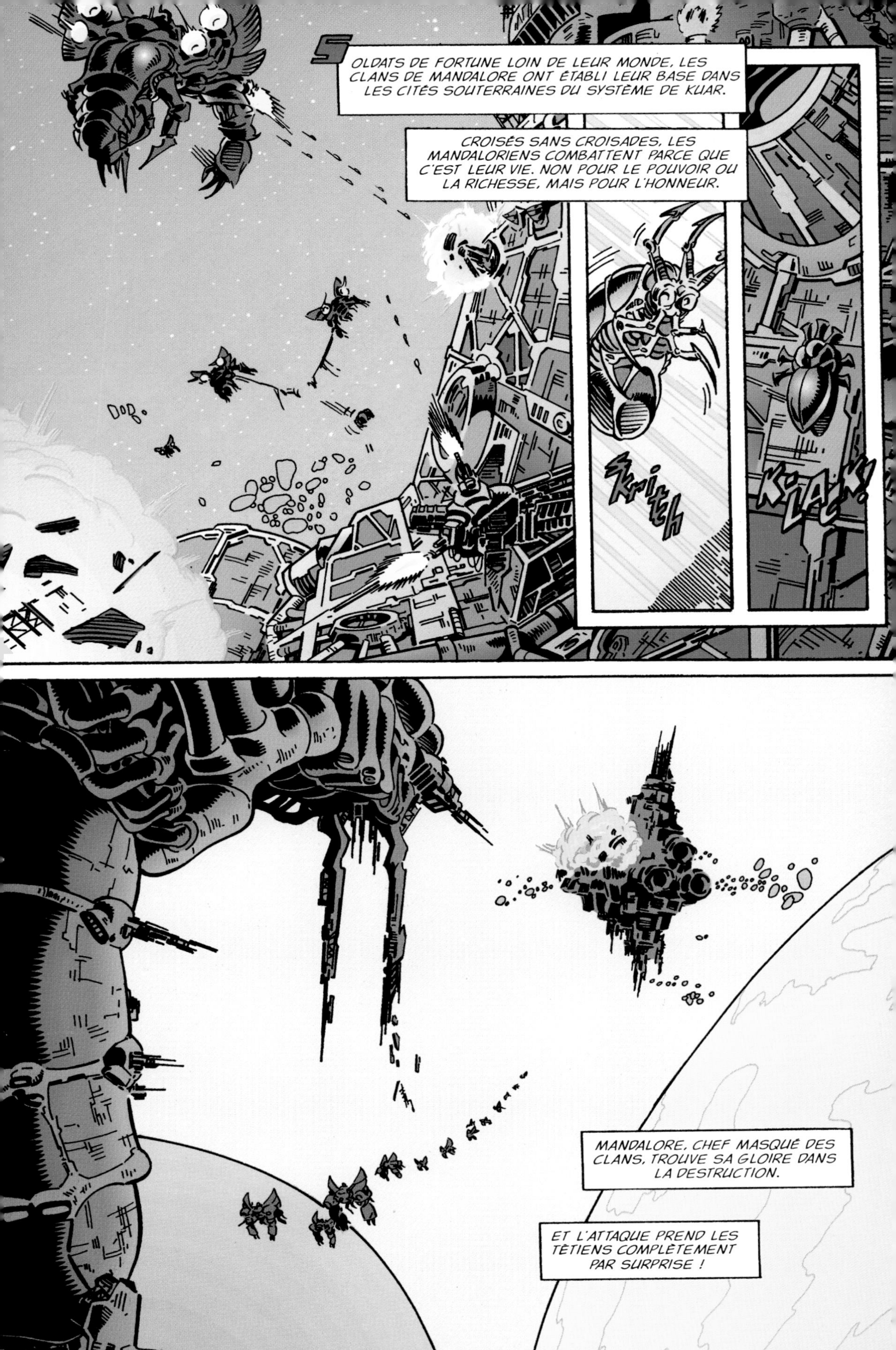
SOLDATS DE FORTUNE LOIN DE LEUR MONDE, LES CLANS DE MANDALORE ONT ÉTABLI LEUR BASE DANS LES CITÉS SOUTERRAINES DU SYSTÈME DE KUAR.
CROISÉS SANS CROISADES, LES MANDALORIENS COMBATTENT PARCE QUE C'EST LEUR VIE. NON POUR LE POUVOIR OU LA RICHESSE, MAIS POUR L'HONNEUR.
SKRITCH
K-LACK!
MANDALORE, CHEF MASQUÉ DES CLANS, TROUVE SA GLOIRE DANS LA DESTRUCTION.
ET L'ATTAQUE PREND LES TÉTIENS COMPLÈTEMENT PAR SURPRISE !

ULIC QEL-DROMA S'EST FAIT DES ENNEMIS DANS LA RÉPUBLIQUE EN RAISON DE LA VOIE QU'IL A CHOISIE. MAIS CETTE ATTAQUE INOPINÉE LE SURPREND.
ELLE INTERFÈRE AVEC SES PLANS DE CONQUÊTE.
MANDALORE N'A MÊME PAS ÉMIS D'EXIGENCES ! QUE NOUS VEUT-IL ?
IL VEUT LES SEPT MONDES DE TETA. IL VEUT CONQUÉRIR. JE LE CROIS EMPLI D'UN DÉSIR QU'IL NE COMPREND PAS LUI-MÊME.

NOUS N'AVIONS PAS BESOIN DE CE PARASITE, ALEEMA. J'AI DU TRAVAIL, JE DOIS REMPLIR MA PART DE L'ACCORD PASSÉ AVEC EXAR KUN.
OH, MANDALORE TE CONNAÎT. TA RÉPUTATION T'A PRÉCÉDÉ AU TRAVERS DE TOUS LES SYSTÈMES VOISINS. IL TE CRAINT... COMME MOI, MON AMOUR.
CETTE ATTAQUE VISE SEULEMENT À ATTIRER TON ATTENTION.
TRÈS BIEN.
CAPITAINE ROOKS... CONTACTEZ MANDALORE. JE VAIS LUI INDIQUER COMMENT SE RENDRE.
OUI, JE TE CONNAIS, JEDI.
ES-TU LE CHAMPION QUI M'AFFRONTERA AU CHAMP D'HONNEUR POUR DÉCIDER DU SORT DES SEPT JOYAUX DE TETA ?
RIDICULE ! MES ARMÉES TE METTRONT EN PIÈCES, SI TU NE TE RENDS PAS.
TES SOLDATS NOUS COMBATTENT AU MOYEN D'ARMES DÉPASSÉES. MES CLANS DISPOSENT D'ARMES ÉVOLUÉES. SAIS-TU CE QUI ARRIVERA QUAND TU NOUS ATTAQUERAS ?
JE TE DONNE UNE CHANCE DE ME RÉGLER MON COMPTE D'UN COUP DE SABRELASER.
VIENS M'AFFRONTER SUR MA PLANÈTE. DANS LES PLAINES DE HARKUL, EN UN COMBAT À MORT.
TRÈS BIEN, JE VIENDRAI. SI JE GAGNE, TES GUERRIERS ET TOI DEVREZ ME SERVIR.
ES-TU D'ACCORD?
J'ACCEPTE.

OSSUS.
DANS LES CALMES JARDINS DE TALLA, UN PUISSANT JEDI PRÔNE LE RETOUR AUX ANCIENNES COUTUMES JEDI.
FRÈRES JEDI... NUL N'HONORE NOS MAÎTRES PLUS QUE MOI... J'AI ÉTÉ L'APPRENTI DU GRAND VODO-SIOSK BAAS.
MON MAÎTRE FUT RESPECTÉ PENDANT DES SIÈCLES AU SEIN DE NOTRE FRATERNITÉ. IL ÉTAIT L'HISTORIEN ET LE GARDIEN DE L'HOLOCRON DE TEDRYN.
VEUX-TU DIRE QUE TU ES UN DES PLUS GRANDS, COMME MAÎTRE VODO ?
C'EST À D'AUTRES D'EN JUGER. LES JEDI COMME TOI-MÊME PEUVENT MESURER MA FORCE, CAY QEL-DROMA.
J'AI DÉCOUVERT DES SECRETS JEDI OUBLIÉS DEPUIS DES MILLÉNAIRES... ET DES POUVOIRS QUI ÉTAIENT NATURELS AUX CHEVALIERS DES TEMPS ANCIENS.
EN VRAI JEDI, JE N'ENTENDS PAS CONSERVER CES POUVOIRS ET CE SAVOIR POUR MOI SEUL.
JE VEUX LES PARTAGER, AVEC TOUT VRAI JEDI QUI SE JOINDRA À MOI.
CELA PARAÎT BEL ET BON, MAIS TU NOUS DEMANDES DE QUITTER NOS MAÎTRES POUR TE SUIVRE.
ET TU ES ENCORE UN APPRENTI, EXAR KUN. MAÎTRE VODO N'A PAS ENCORE FAIT DE TOI UN MAÎTRE JEDI.
JE SUIS CE QUE JE SUIS, CARDO. JE DOIS AVOUER CEPENDANT QUE CERTAINS VIEUX JEDI... MÊME VODO... SONT PERPLEXES DEVANT MON SAVOIR.
MAIS ILS SONT PEUT-ÊTRE UN PEU DÉPASSÉS.
MAÎTRE ARCA N'A-T-IL PAS SUBI LA MAGIE NOIRE DES SITH... ?
JE LES SENS FAIBLES, INDÉCIS...

TU AS RAISON. ARCA A ÉCHOUÉ SUR ONDERON. JE NE COMPRENDS PAS. C'ÉTAIT UN GRAND JEDI.
J'Y ÉTAIS, ZONA. NOUS AVONS ÉTÉ ATTAQUÉS PAR UN AVATAR... UN JEDI DÉCHU NOMMÉ FREEDON NADD.
MAÎTRE ARCA EST MORT BRAVEMENT ! IL S'EST SACRIFIÉ POUR PROTÉGER LES AUTRES JEDI.

EXACTEMENT. ET CE FREEDON NADD, QUI A TROMPÉ LES PLUS GRANDS MAÎTRES ?
JE ME SUIS OCCUPÉ DE LUI, PERSONNELLEMENT.
TOI, EXAR KUN ? VRAIMENT ?

C'EST VRAI. ALORS, J'AI AGI SANS L'AIDE D'ARCA... OU DE SES ÉLÈVES JEDI.
J'AI RETROUVÉ L'ESPRIT DE FREEDON NADD, LE JEDI NOIR. JE LUI AI PARLÉ, J'AI APPRIS DE LUI SES POUVOIRS, ET L'ENDROIT OÙ SES OBJETS SACRÉS ÉTAIENT CACHÉS...
ET JE L'AI COMBATTU, VICTORIEUSEMENT. FREEDON NADD N'EST PLUS.

OUI, J'AI DÉTRUIT CETTE ÂME MALÉFIQUE.
JE SUIS ALLÉ SUR ONDERON, MAIS ARCA ME DÉSAPPROUVAIT DE CHERCHER À FAIRE CE QU'IL NE POUVAIT ACCOMPLIR LUI-MÊME.
ARCA NE T'AIMAIT PAS, EXAR KUN.
IL REDOUTAIT TES INTENTIONS.

PROUVE-LE ! POURQUOI DEVRIONS-NOUS TE CROIRE ?
VOYEZ PAR VOUS-MÊMES. CETTE AMULETTE JEDI VOUS DIRA TOUT.
UNE AMULETTE JEDI ? J'IGNORAIS LEUR EXISTENCE.
BIEN ENTENDU ! JE VOUS L'AI DIT : NOUS AVONS BEAUCOUP OUBLIÉ. BEAUCOUP DE CHOSES ONT ÉTÉ INTERDITES.
LES MAÎTRES CONSIDÉRAIENT LES AMULETTES COMME TROP PUISSANTES POUR LES JEUNES JEDI.
MAIS JE N'AIME PAS QUE LES CHOSES RESTENT CACHÉES. JE N'AIME PAS QUE LES SECRETS ANCIENS RESTENT ENFOUIS SOUS LA POUSSIÈRE.
SI VOUS ÊTES COMME MOI... SI L'AVENIR DES JEDI VOUS PRÉOCCUPE, JOIGNEZ-VOUS À MA RECHERCHE DE CES SECRETS... AVEC EUX, NOUS CHANGERONS LA GALAXIE.

KUAR.
ULIC QEL-DROMA A CONFIANCE EN LA FORCE. ET EN LES POUVOIRS DU CÔTÉ OBSCUR QU'IL PRATIQUE.
IL A PERMIS AU SEIGNEUR MANDALORE DE DÉFINIR LES RÈGLES DE COMBAT. LE DUEL A LIEU SUR LES PLAINES OUVERTES D'HARKUL.
ZZRRRUMMMMM
L'ARME CHOISIE PAR MANDALORE EST UN DROÏDE BASILIK, MODÈLE DE COMBAT, RÉGLÉ SELON SES RECOMMANDATIONS PERSONNELLES.
MANDALORE A FIXÉ D'AUTRES RÈGLES POUR FAIRE PENCHER LA BALANCE. QEL-DROMA N'A PAS DROIT À UNE MONTURE. IL N'A MÊME PAS LE DROIT DE SE TENIR SUR LA TERRE FERME.
SOUS LES YEUX D'ALEEMA, SON AMBITIEUSE MAÎTRESSE, ULIC NE PEUT COMPTER QUE SUR SON SAVOIR DE JEDI.
S'IL EST VAINCU, IL PERD LA VIE, MAIS AUSSI TOUT CE POUR QUOI IL A OEUVRÉ.
S'IL GAGNE...

IL EMPORTE L'ALLÉGEANCE DES ARMÉES DE TETA ET DE MANDALORE.

PRÉPARE-TOI À LA DÉFAITE, JEDI !

TECHNOLOGIE MORTELLE OU NON, RIEN NE RÉSISTE AUX POUVOIRS DE LA FORCE.
MAIS SI LA MAÎTRISE D'ULIC EST GRANDE...
... L'HABILETÉ DE MANDALORE EST PEUT-ÊTRE PLUS GRANDE ENCORE !
ET LE COMBAT... COMME SES COMBATTANTS... RESTE EN SUSPENS !

ULIC ATTEND QUE MANDALORE FRAPPE DE NOUVEAU.
TU TE BATS DE MANIÈRE DÉLOYALE, QELDROMA ! LAISSE CETTE ARME ASSOIFFÉE DE SANG. UTILISE CECI : L'ARME DE NOS AÏEUX !
JE PEUX TE VAINCRE AVEC N'IMPORTE QUELLE ARME, MANDALORE.
HNNNGKK!
DES SPECTATEURS CRIENT. D'AUTRES APPLAUDISSENT. TOUS RETIENNENT LEUR SOUFFLE DEVANT CETTE DÉMONSTRATION DE PUISSANCE...
... SURTOUT UN PAUVRE SOLDAT DE MANDALORE, ÉGARÉ TROP PRÈS DU CHAMP DE BATAILLE !

JE TE COMBATTRAI AVEC L'UNE DE TES ARMES, MANDALORE !
RENDS-TOI !

UN GUERRIER NE SE REND JAMAIS. LA VICTOIRE M'APPARTIENT, JEDI !

AH OUI ? QUELLE VICTOIRE ?

TU AS COMBATTU GLORIEUSEMENT, QEL-DROMA. JE M'INCLINE. MES GUERRIERS T'APPARTIENNENT. TUE-MOI.
TA MORT NE M'INTÉRESSE PAS. J'AI UN MEILLEUR SORT EN TÊTE POUR TOI. UN BIEN MEILLEUR SORT.

NSTALLÉE DANS LA GRANDE BIBLIOTHÈQUE D'OSSUS, NOMI SUNRIDER POURSUIT SON APPRENTISSAGE DE LA MÉDITATION JEDI SOUS LA DIRECTION D'UN DES PLUS VIEUX MAÎTRES DE L'ORDRE.
QUE TE SEMBLE LA FORCE LORSQUE TU MÉDITES, MON ENFANT ?
ELLE RESSEMBLE À UNE GRANDE MER CALME, MAÎTRE ODAN-URR... UNE MER IRRADIANT DE LA LUMIÈRE. JE ME SENS EN PAIX LORSQUE JE MÉDITE.

OUI, COMME MOI. ET CEPENDANT, NOUS DEVONS PORTER LES ARMES ET FAIRE LA GUERRE POUR DÉFENDRE LES FAIBLES.
TROP DE GUERRES... TROP DE COMBATS... LES GUERRES SONT INÉVITABLES, MAIS ELLES NE FONT PAS LE JEDI. C'EST LA FORCE QUI FAIT LE JEDI.

MAÎTRE THON M'A APPRIS À MANIER LE SABRELASER, MAIS IL M'A AUSSI ENCOURAGÉ À VISUALISER LA FORCE DE L'INTÉRIEUR.
MAÎTRE ARCA A POURSUIVI CET ENSEIGNEMENT. ET MON APTITUDE ME VIENT NATURELLEMENT, AU COMBAT...
AH ! THON ET ARCA CONNAISSAIENT BIEN LA MÉDITATION.
ARCA POUVAIT RAVIVER LES ESPRITS D'UNE ARMÉE EN DÉROUTE ET LA RENDRE VICTORIEUSE.

MAÎTRE ODAN-URR... CEUX QUI CHOISISSENT LE CÔTÉ OBSCUR PEUVENT-ILS AVOIR RECOURS À LA MÉDITATION GUERRIÈRE ?
OUI... MAIS ÇA NE SE VOIT PLUS GUÈRE.
TIENS, MON ENFANT. UNE FRIANDISE DE BOFA.

AUTREFOIS, LES SEIGNEURS NOIRS DES SITH CONSTRUISAIENT DES CHAMBRES DE MÉDITATION DANS LEURS VAISSEAUX.
AU PLUS FORT DE LA BATAILLE, ILS S'Y ENFERMAIENT...
... POUR VISUALISER LES COMBATS QUI SE DÉROULAIENT AUTOUR D'EUX.

COMMENT FAIRE FACE À PAREIL ADVERSAIRE ?
SEMBLABLE CHOSE S'EST PASSÉE À ONDERON, ET JE N'AI PAS RÉSISTÉ !
AH ! ALORS TU VAS COMPRENDRE. NE PANIQUE PAS QUAND LES ÉNERGIES OBSCURES SE TOURNENT CONTRE TOI.
UTILISE TES POUVOIRS DE JEDI POUR ASPIRER L'ÉNERGIE DE TON ENNEMI, ET NON POUR LE BLESSER.
CETTE TECHNIQUE REND L'ENNEMI AVEUGLE À LA FORCE AU MOYEN D'UN VOILE DE LUMIÈRE. PERMANENT, SI TU LE VEUX. ET QUI LE REND INCAPABLE DE RECOURIR À SES POUVOIRS.
CELA SEMBLE DIFFICILE, MAÎTRE. ET EFFRAYANT.
OUI, C'EST DIFFICILE.
ET C'EST LA PIRE AGRESSION QUE L'ON PUISSE FAIRE SUBIR. COUPER UN JEDI DE LA FORCE - MÊME S'IL S'AGIT D'UN JEDI NOIR - EST UNE CHOSE TERRIBLE.
AU MOMENT DE LA CHUTE DES SITH, J'ÉTAIS MOI-MÊME ADEPTE DE CES TECHNIQUES.
A L'ÉPOQUE, NOUS COMBATTIONS LE DERNIER SEIGNEUR NOIR... ET NOUS ACCULIONS LES SITH À L'EXTINCTION.
C'EST ALORS JE JE TROUVAI L'HOLOCRON, LE SEUL HOLOCRON SITH, AUTANT QUE JE LE SACHE.
IL RENFERME LES HISTOIRES ET LES LÉGENDES ANCIENNES DES SITH, QUI REMONTENT À CENT MILLE ANS ET PLUS.
CE SAVOIR EST DANGEREUX, ET NOUS DEVONS LE PROTÉGER, ICI SUR OSSUS.

EXAR KUN A LAISSÉ LES JEUNES CHEVALIERS JEDI DÉBATTRE DE SES PROPOSITIONS. ENTRÉ DANS LA BIBLIOTHÈQUE, IL RECHERCHE UNE CHOSE DE GRANDE VALEUR.
MERCI, MAÎTRE ODAN-URR. JE M'ENTRAÎNERAI COMME VOUS ME L'AVEZ ENSEIGNÉ.
TU ES UN BON ET VALEUREUX JEDI, NOMI SUNRIDER, ET CETTE PETITE, UN JOUR, SERA MAÎTRE JEDI, ET AURA DE NOMBREUX APPRENTIS.

LA FORCE EST AVEC NOMI SUNRIDER, MAIS JE SAIGNE POUR ELLE ! DE SOMBRES HORIZONS NOUS ATTENDENT.
HMMM
ETRANGE... L'HOLOCRON DES SITH. IL BRILLE PLUS VIVEMENT.

CE N'EST PAS ÉTRANGE, VIEILLARD...

IL ACCUEILLE SON LÉGITIME PROPRIÉTAIRE.

DAN-URR A SENTI IMMÉDIATEMENT LA FORCE OBSCURE. IL RECHERCHE LA LUMIÈRE, POUR BLOQUER LES POUVOIRS DE SON ADVERSAIRE, COMME IL L'A APPRIS À NOMI SUNRIDER.
SOMBRE JEDI, TA PLACE N'EST PAS ICI.
PARS!
MAÎTRE, TU IGNORES QUI JE SUIS !
JE SUIS UN SEIGNEUR NOIR DES SITH.

JE SUIS VIEUX...
LE MAL... HANTE LA GALAXIE...
ET JE NE PUIS L'ARRÊTER...

OUI, TU ES VIEUX. ET MORT !
TU AURAIS DÛ ME DONNER L'HOLOCRON.

ODAN-URR S'ENVOLE VERS LA FORCE, ET LAISSE S'ÉCHAPPER LE PLUS SOMBRE JEDI DE LA GALAXIE, AVEC UN INSTRUMENT QUI LE RENDRA ENCORE PLUS PUISSANT.
JE ME DEMANDE SI JE N'AURAIS PAS DÛ L'ENFERMER DANS UN CRISTAL SITH.
EXAR ! NOUS TE CHERCHIONS ! NOUS SERONS TES DISCIPLES !
OUI ! NOUS VENONS AVEC TOI ! QUAND PARTONS-NOUS POUR YAVIN ?
QUE-QUE SE PASSE-T-IL ? CE SONT LA ROBE ET LE BÂTON DE MAÎTRE ODAN-URR !
OUI. IL ÉTAIT VIEUX ET SON HEURE ÉTAIT VENUE.
MAIS AVANT DE PARTIR, IL M'A FAIT UN PRÉSENT : CET HOLOCRON TRÈS RARE.
IL A DIT QUE CELA CONVIENDRAIT À UN MAÎTRE JEDI.
JE SUIS MAÎTRE JEDI À PRÉSENT. ODAN-URR M'A TRANSMIS SA FONCTION.
JE SUIS LE GARDIEN DU FUTUR. DE HAUTS FAITS NOUS ATTENDENT... ET JE VOUS PROMETS...

...QUE JE NE SOUS-ESTIMERAI JAMAIS LES POUVOIRS DU CÔTÉ OBSCUR.
TRÈS LOIN, À FOEROST, PORT DE LA RÉPUBLIQUE...
L'UN DES PLUS GRANDS ET PLUS CÉLÈBRES SITES DE CONSTRUCTION ORBITALE. LES ARMATEURS DE FOEROST EXTRAIENT DES MATIÈRES PREMIÈRES DE LA PLANÈTE INHABITÉE ET LES EMPORTENT SUR ORBITE...
... OÙ, DEPUIS DES SIÈCLES, LES CHANTIERS DE FOEROST ONT PRODUIT DES VAISSEAUX POUR LA RÉPUBLIQUE GALACTIQUE.
RÉVEILLEZ-VOUS LÀ-DEDANS ! UN VAISSEAU QUITTE L'HYPERESPACE, ET DEMANDE PERMISSION D'ACCOSTER POUR RÉPARER SA COQUE.
C'EN EST UN GROS, D'APRÈS CE QUE JE VOIS. MAIS L'ÉCRAN DÉCONNE PEUT-ÊTRE.
OKAY, TOUR BRAVO, JE LES AI SUR MES RADARS. DITES-LEUR QUE L'ENTREPOT 1763 EST OUVERT POUR LES RÉPARATIONS URGENTES.
WOOO ! UNE MINUTE !

ALLÔ, CIEL DE GOLTHAR ! NE DESCENDEZ PLUS. AUCUN DE NOS DOCKS N'EST ASSEZ GRAND POUR VOUS.
NOUS ALLONS ENVOYER UNE ÉQUIPE D'INSPECTION VÉRIFIER VOTRE COQUE !

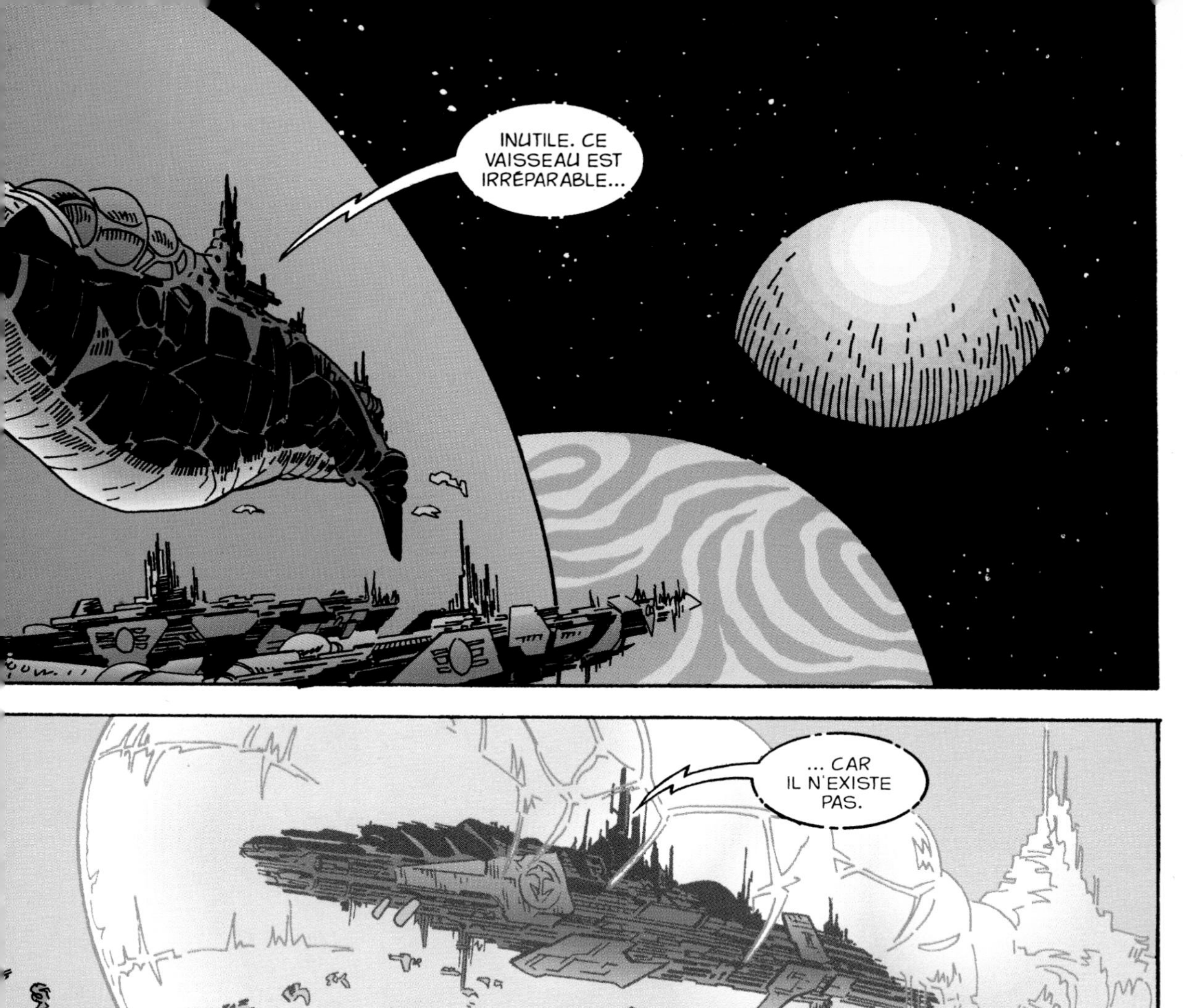
INUTILE. CE VAISSEAU EST IRRÉPARABLE...

... CAR IL N'EXISTE PAS.
OUI, UNE FOIS DE PLUS, ALEEMA A EU RECOURS AUX ILLUSIONS. POUR MASQUER LES VAISSEAUX D'ATTAQUE D'ULIC QEL-DROMA !

WABAM ! APPUYÉ PAR SES ALLIÉS MANDALORIENS, ULIC S'ATTAQUE À LA PAS-SERELLE ET AU CENTRE D'OPÉRATION DU PORT...
... TANDIS QUE SES CHASSEURS DÉCIMENT LES POSTES DE DÉFENSE.
LE PORT EST SUBMERGÉ PAR LES SOLDATS DE TETA EN ARMURE...
ET LA BATAILLE SE TERMINE À PEINE APRÈS AVOIR COMMENCÉ.

FINALEMENT CONTENTS DE LEUR NOUVELLE CROISADE, LES MANDALORIENS S'ADONNENT AU CARNAGE.
ILS PEUVENT DONNER LIBRE COURS À LEUR SAUVAGERIE MERCENAIRE.

JE VAIS FERMER CES CHANTIERS NAVALS. DONNEZ MOI LES CODES D'ACCÈS DE TOUS LES VAISSEAUX LANCÉS RÉCEMMENT.
JE NE PEUX PAS. JE N'AI PAS LES CODES. LA RÉPUBLIQUE LES EMPORTE EN PRENANT LIVRAISON DES VAISSEAUX.

TU MENS.

NOUS SAVONS QUE LES CODES SONT ICI. QUI PEUT ME LES DONNER ?

MOI ! MOI ! NE NOUS TUEZ PAS ! NOUS NE SOMMES QUE DES OUVRIERS !
QEL-DROMA ! NOUS AVONS REÇU UN SIGNAL D'EXAR KUN. IL EST EN ROUTE POUR YAVIN QUATRE.
BIEN. IL EST À L'HEURE ! METTEZ-NOUS EN LIAISON !

ULIC ! J'AI ACCOMPLI MA PART DU CONTRAT ! J'AI VINGT CHEVALIERS PRÊTS À SE FORMER SOUS MES ORDRES !
VINGT, SEULEMENT ?

J'AI DEUX ARMÉES ENTIÈRES, KUN.
ET TROIS CENTS VAISSEAUX FLAMBANTS NEUF DE LA RÉPUBLIQUE.

BIEN JOUÉ, BIEN JOUÉ. NOUS EN AURONS BESOIN POUR LA SUITE DE MES PLANS.
RASSEMBLE D'AUTRES VAISSEAUX PENDANT QUE JE FORME MES JEDI.

J'AI LES CODES. LES VAISSEAUX SONT À NOUS.
POUVONS-NOUS PARTIR POUR CORUSCANT ?
CORUSCANT ? POURQUOI CORUSCANT ? C'EST LE SIÈGE DU GOUVERNEMENT GALACTIQUE !

JE VAIS ATTAQUER CORUSCANT SUR LE CHAMP. LA FLOTTE DE LA RÉPUBLIQUE A ÉTÉ ALERTÉE DE NOTRE PRÉSENCE.
ELLE S'ATTEND SÛREMENT À DES ESCARMOUCHES CONTRE LES AVANT-POSTES MILITAIRES.
LA BONNE MANOEUVRE EST DONC D'ATTAQUER CORUSCANT. VITE !
IMBÉCILE ! TU VAS COMPROMETTRE MON PLAN ! NOUS DEVONS PROCÉDER LENTEMENT, ADDITIONNER NOS FORCES. NOUS DEVONS ATTAQUER ENSEMBLE.
JE NE SAIS PAS QUI TU ES, MAIS ULIC ET MOI POUVONS NOUS CHARGER DE CORUSCANT.
LES CLANS DE MANDALORE SONT LES MEILLEURS GUERRIERS DE LA GALAXIE. NOUS N'AVONS PAS BESOIN DE QUELQUES JEDI.
JE VOIS QUE MES INJONCTIONS NE VOUS FERONT PAS CHANGER D'AVIS.
TRÈS BIEN, QEL-DROMA, MONTRE TA BRAVOURE, SI TU Y TIENS. SI TU ÉCHOUES, JE CONTINUERAI SANS TOI.
JE VAIS DÉMONTRER QUE LA RÉPUBLIQUE EST FAIBLE ET VULNÉRABLE, EXAR KUN.
UN VRAI SEIGNEUR NOIR DES SITH SAISIRAIT L'OCCASION, COMME MOI.
UN VRAI SEIGNEUR NOIR SERAIT PRÊT À COMBATTRE !

CAPITAINE VANICUS AU RAPPORT.
NOUS AVONS REÇU UN MESSAGE DE DÉTRESSE. MA FLOTTE S'EST RENDUE AUX CHANTIERS NAVALS DE FOEROST, CIBLE D'UNE NOUVELLE ATTAQUE.
NOUS ESPÉRIONS Y DÉCOUVRIR LES MYSTÉRIEUX PIRATES, ET LES VAINCRE GRÂCE À NOTRE PUISSANCE MILITAIRE ...

MAIS NOUS ARRIVONS TROP TARD.

NOUS N'ÉTIONS PAS PRÉPARÉS À DÉCOUVRIR LES RAVAGES DE CETTE BATAILLE. LA PLUPART DES VAISSEAUX ONT ÉTÉ VOLÉS. LA BASE EST DÉTRUITE.
NOUS DEVONS SAUVER CE QUE NOUS POUVONS, ET APPRENDRE QUI EST RESPONSABLE.

VÉRIFIEZ LES JOURNAUX DE BORD DE LA STATION.
VOYEZ QUELLE RUSE LES PIRATES ONT UTILISÉE...
C'EST LA QUATRIÈME ATTAQUE DE GUERILLA EN DEUX SEMAINES.
OUI, CHEF !
TROUVEZ DES TÉMOINS. JE VEUX PARLER À DES SURVIVANTS.
IL Y A TRÈS PEU DE NAVETTES DE SAUVETAGE EN ÉTAT, CHEF, MAIS NOUS EN AVONS RETROUVÉ.
LES ORDINATEURS ONT GRILLÉ. SABOTÉS SCIEMMENT.
ILS SAVAIENT TRÈS BIEN CE QU'ILS FAISAIENT !
ATTENDEZ, REGARDEZ-ÇA !
UN DES SYSTÈMES DE SÉCURITÉ L'A ENREGISTRÉ. LES PIRATES L'IGNORAIENT CERTAINEMENT.
A PRÉSENT, AVEC NOTRE FLOTTE DE GUERRE, NOUS POURRONS FRAPPER UN GRAND COUP !
JE CONNAIS CETTE HOMME. IL SE TROUVAIT À KOROS MAJOR.
NOUS NOUS RETROUVERONS AU POINT PRÉVU POUR NOTRE ATTAQUE SUR KEMPLEX NEUF. LA STATION N'EST PAS DÉFENDUE. CE SERA FACILE.
ENVOYEZ TOUTE LA FLOTTE À KEMPLEX NEUF ! CETTE FOIS-CI, NOUS L'AURONS !
JE ME SOUVIENS ! C'EST UN JEDI ! NOTRE ENNEMI, C'EST ULIC QEL-DROMA ! IL FAUT EN RÉFÉRER À CORUSCANT !
SOMBRE JOUR POUR LA RÉPUBLIQUE !

CORUSCANT, SIÈGE DU GOUVERNEMENT GALACTIQUE.
LES JEDI ONT ÉTÉ PRÉVENUS QU'UN CHEVALIER FÉLON SÈME LA TERREUR PARMI LES BASES RÉPUBLICAINES.
MAÎTRE VODO ET UN CONTINGENT DE JEUNES JEDI VIENNENT CONVAINCRE LE SÉNAT DE LES LAISSER AFFRONTER LE RENÉGAT, QUEL QU'IL SOIT.
VODO ! C'EST BON DE TE REVOIR !
OUI, NETUS ! J'AURAIS PRÉFÉRÉ QUE CE SOIT EN D'AUTRES CIRCONSTANCES.
FRANCHEMENT, JE PENSE QUE TES CRAINTES SONT INFONDÉES, VODO.
JUSQU'ICI, LA PARTICIPATION D'UN JEDI N'EST QU'UNE RUMEUR.
LES MAÎTRES ONT DES RAISONS DE PENSER QUE C'EST PLUS QUE CELA.
UN MESSAGE DU CAPITAINE VANICUS, DE FOEROST !
VANICUS A IDENTIFIÉ LE TERRORISTE. TU AS RAISON, VODO, C'EST PLUS QU'UNE RUMEUR.
LE CHEF DES ATTAQUANTS EST LE JEDI ULIC QEL-DROMA.

VANICUS A ORDONNÉ À LA FLOTTE DE LE REJOINDRE À KEMPLEX NEUF, DANS LE SYSTÈME DE CRON, OÙ IL ESPÈRE VAINCRE L'ENNEMI.
CE... CE N'EST PAS POSSIBLE ! S'IL S'AGIT BIEN D'ULIC, JE DOIS L'ARRÊTER.
NON, CAY, IL NE S'AGIT PAS DES ACTIONS D'UN JEDI RENÉGAT, MAIS DES PROPHÉTIES SITH ENFIN RÉALISÉES !
QUE VOULEZ-VOUS DIRE, MAÎTRE VODO ?
QEL-DROMA N'AGIT PAS SEUL... MON ÉLÈVE EST À SES CÔTÉS.
JE SUIS RESPONSABLE DE N'AVOIR PAS SENTI LA TOURNURE QUE PRENAIT LES CHOSES, QUAND J'AI PERÇU LA CURIOSITÉ D'EXAR KUN POUR LE CÔTÉ OBSCUR... JE DOIS ALLER À LEUR RENCONTRE.
IL EST PEUT-ÊTRE TROP TARD, MAÎTRE VODO...
JE SENS UN PROFOND TROUBLE DANS LA FORCE. JE VOIS UNE ARMÉE SORTANT DE L'HYPERESPACE.
KEMPLEX NEUF N'ÉTAIT QU'UNE RUSE DESTINÉE À ATTIRER LES FORCES DE LA RÉPUBLIQUE...
... ET À LAISSER CORUSCANT DÉSARMÉE !
C'EST ULIC !
APPELEZ LES HOMMES ! OU CE QU'IL EN RESTE !

YAVIN QUATRE
LE STARSTORM ONE D'EXAR KUN, RÉPARÉ, QUITTE OSSUS AVEC, À SON BORD, UN GROUPE DE JEDI CONVERTIS AUX NOUVEAUX ENSEIGNEMENTS...
... ET IGNORANTS DES DANGERS QUI LES ATTENDENT.
IL LEUR A PROMIS DES POUVOIRS QUI RENDRAIENT FIERS LEURS PROPRES MAÎTRES.
VOUS SEREZ ÉTONNÉS !
BIENVENUE À YAVIN QUATRE, OÙ SONT ENFOUIS DE NOMBREUX SECRETS OUBLIÉS. NUL AUTRE JEDI QUE VOUS ET MOI NE CONNAÎT CET ENDROIT.
J'AI HÂTE DE VOIR CE QUE TU AS DÉCOUVERT, EXAR.
QUEL LIEU ÉTRANGE...

BIENTÔT, EXAR KUN ARPENTE DES DALLES À DEMI IMMERGÉES...
IL N'Y A PAS SI LONGTEMPS, IL Y AVAIT UNE JUNGLE, ICI. VOYEZ LE TEMPLE QUE J'Y AI CONSTRUIT. UN PARMI D'AUTRES.
JE SUIS HEUREUX QUE VOUS SOYEZ VENUS. APRÈS TANT DE SIÈCLES, LES TECHNIQUES OUBLIÉES APPARTIENDRONT DE NOUVEAU AUX JEDI.
MAIS QUE DEVONS-NOUS FAIRE, EXAR ? TOUT CECI EST... ÉTONNANT !
APPRENDRE... ET EXPÉRIMENTER. C'EST TOUT.
J'AI BEAUCOUP À VOUS MONTRER. DES CHOSES QUE NUL N'A VU DEPUIS DES LUSTRES.

JUSQU'ICI, TU AS SURTOUT PARLÉ, EXAR KUN...
OUI, JE NE SUIS PAS SÛR...
FAITES-MOI CONFIANCE. IL Y A BIEN PLUS.
MAIS CET ENDROIT NE ME PLAÎT PAS.
JE LE SENS PROCHE DU CÔTÉ OBSCUR. PROCHE ET FAMILIER.
NOUS N'AURIONS PAS DÛ VENIR.
JE VAIS RENTRER AU VAISSEAU. JE NE VEUX PAS T'ACCOMPAGNER.
OSS WILUM, ATTENDS !

QUOI ?

ZZZZZZZZRZZHH
RAPPELLE-LES, KUN !
LES JEDI COMBATTENT ENSEMBLE !
ATTENDEZ !
DANS QUEL PÉTRIN NOUS SOMMES-NOUS FOURRÉS ?

ASSEZ ! VOUS TOUS !
CES NATIFS NE COMPRENNENT PAS. ILS TENTENT DE ME PROTÉGER. CESSER DE COMBATTRE ! CALMEZ-VOUS !
CELA CONFIRME MES CRAINTES, EXAR KUN. CET ENDROIT EST MINÉ PAR LE CÔTÉ OBSCUR.
ET, JE NE SAIS POURQUOI, TU NE LE VOIS PAS.
NON, TU TE MÉPRENDS, OSS WILUM. MAIS JE COMPRENDS TES RÉSISTANCES.
CET ENDROIT EST IMPRÉGNÉ DU MAL DE JADIS. MAIS J'EN AI PRIS POSSESSION AU PROFIT DE LA FORCE. POUR LE PURIFIER, J'AI BESOIN DE VOTRE AIDE.
OUI ! NOUS POURRONS LE CONQUÉRIR ENSEMBLE !
NOUS TE SUIVONS, EXAR KUN !
VENEZ, JEDI. LAISSEZ-MOI VOUS MONTRER UN SEUL EXEMPLE ET VOUS PARTIREZ D'ICI AVEC UN APERÇU DE MON TRAVAIL.
C'EST TRÈS IMPORTANT.

JEDI, J'AI BESOIN DE VOTRE AIDE POUR DÉTRUIRE LES DERNIERS VESTIGES DU CÔTÉ OBSCUR ENCORE PRÉSENTS. POUR INVOQUER LA LUMIÈRE.
CET ENDROIT EST TRÈS PUISSANT, ET POURRA SERVIR AU BIEN DE TOUS, SI NOUS LE PURIFIONS.
CECI N'EST PAS UN HOLOCRON JEDI. C'EST UN HOLOCRON SITH.
EMPLI DE SAVOIRS INTERDITS. MAIS NOUS POUVONS LE DÉTRUIRE, VOUS ET MOI.
INVOQUEZ LA FORCE ! LEVEZ VOS MAINS POUR BLOQUER L'ÉCLAIR...
ET JE DÉTRUIRAI CET OBJET POUR VOUS MONTRER COMBIEN LES JEDI SONT DEVENUS PUISSANTS.

EXAR KUN NE VEUT PAS DÉTRUIRE... MAIS OUVRIR !
APRÈS DES SIÈCLES D'ENFERMEMENT, LES RESTES DES SITH SONT ENFIN LIBÉRÉS...
ET TROUVENT DE NOUVEAUX HÔTES !
GAAAAA!

LIBÉRÉS DU PASSÉ, LES ÉCLATS DE CRISTAL MONTRENT À OSS WILUM LES REFLETS DE LA GRANDEUR SITH...
... D'UNE GRANDEUR QUI VEUT RENAÎTRE.
LES PENSÉES ET LES DÉSIRS DES SITH SONT ABSORBÉS PAR LES JEDI IMPRUDENTS...
... ET LES ÉCLATS DE CRISTAL DISPARAISSENT, ABSORBÉS DANS LES CORPS DES JEDI.
QU'AS-TU FAIT ?
JE LEUR AI DONNÉ LA CONNAISSANCE PROMISE...

CORUSCANT
SEUL UN JEDI EMPLI D'AUDACE PAR LE CÔTÉ OBSCUR PEUT OSER S'ATTAQUER À LA CAPITALE DE LA RÉPUBLIQUE GALACTIQUE.
NOUS T'EMMENONS EN LIEU SÛR, VODO !
NE T'INQUIÈTE PAS, NOS FORCES DE SÉCURITÉ ONT LA SITUATION EN MAIN !
MAIS LES FORCES DÉFENSIVES DE CORUSCANT ONT PEU D'EXPÉRIENCE FACE AUX GUERRIERS MANDALORIENS !

ILS REVIENNENT ! CETTE FOIS-CI, ILS NOUS VISENT !
IL FAUT METTRE EN BATTERIE CE VIEUX LASER !
HÉ ! IL EST CHARGÉ DEPUIS LA FÊTE DE L'INDÉPENDANCE !
PRÉPAREZ-VOUS !
WHOOM
MAÎTRE ! NOUS DEVONS VOUS EMMENER EN LIEU SÛR !
NON, IL FAUT PARVENIR AU CENTRE DE COMMANDEMENT DE LA RÉPUBLIQUE. NOUS POURRONS MIEUX NOUS ORGANISER DANS LEUR QUARTIER GÉNÉRAL.

ULIC, POUR SA PART, VEUT LUI AUSSI PARVENIR AU QUARTIER GÉNÉRAL, POUR ÉCRASER LE COMMANDEMENT MILITAIRE !
NOS TROUPES AVANCÉES SE DÉPLOIENT. ELLES ONT PRIS CORUSCANT PAR SURPRISE... EXACTEMENT COMME TU L'AS DIT.
BIEN. IL FAUT PRENDRE LEUR QUARTIER GÉNÉRAL.
JE VEUX LES ILLUSIONS D'ALEEMA, JE VEUX UNE PHALANGE DE FANTASSINS TETIENS... ET CENT DE TES MEILLEURS GUERRIERS, MANDALORE.
AH... MES ESPIONS M'APPRENNENT QUE LA RÉPUBLIQUE FABRIQUE DE NOUVELLES ARMES PRÈS DE SON CENTRE NÉVRALGIQUE.
MES COMBATTANTS AIMERAIENT METTRE LA MAIN DESSUS.
NOUS N'AURONS PAS BESOIN DE CES ARMES, UNE FOIS LEUR Q.G. MAÎTRISÉ. GRÂCE À CETTE SEULE VICTOIRE, LA GALAXIE ENTIÈRE TOMBERA ENTRE NOS MAINS.
EXAR KUN REGRETTERA D'AVOIR VOULU ATTENDRE !
QUE MANDALORE PRENNE SES JOUETS, ULIC... J'AI LES HOMMES QU'IL TE FAUT POUR T'AIDER... ET MES POUVOIRS VOUS COUVRIRONT.
TRÈS BIEN. PASSONS À LA PHASE DEUX.

NOUS DEVONS PARVENIR AU Q.G. ILS NE PEUVENT SUBMERGER LES DÉFENSES DE CORUSCANT...
ENFIN... ESSAYONS D'Y ARRIVER VIVANTS !
ALONNÉS PAR LES MANDALORIENS, LES JEDI TARDENT À ARRIVER AU Q.G.

...TANDIS QUE LES TROUPES D'ULIC NE RENCONTRENT AUCUNE RÉSISTANCE.
LE CHEMIN EST LIBRE JUSQU'À LA SALLE PRINCIPALE, MONSEIGNEUR !
ALORS IL EST TEMPS DE FRAPPER AU COEUR DE LA RÉPUBLIQUE.

MANDALORE NOUS PRÉVIENT QU'IL VA PÉNÉTRER DANS LES ENTREPÔTS D'ARMES.
DITES-LUI DE CONTINUER, MAIS QU'IL SOIT PRÊT À SE RETIRER À MON ORDRE !
NOUS RETIRER ? NOUS AVONS DÉJÀ DONNÉ LA CHARGE !
DÉPÊCHE-TOI ! NOUS AURONS PEUT-ÊTRE BESOIN DE PARTIR !
VOICI UN MX. J'EN AI ENTENDU PARLER. IL DÉCHARGE UN FLUX D'IONS ET NETTOIE UNE PASSERELLE EN UNE DEMI-MILLISECONDE.
PRENEZ-LE !

OKAY ! LA VOIE EST LIBRE JUSQU'AU Q.G. NOUS VOUS SUIVONS !
ULIC EST DÉJÀ LÀ ! JE LE SENS... ET JE SENS LA FEMME... ELLE Y EST ÉGALEMENT, SOYEZ PRUDENTS !
UN JEDI A ENFREINT NOS RÈGLES. CE N'EST PAS L'HEURE D'ÊTRE PRUDENT, MAIS FERME.

JE N'AURAIS JAMAIS PENSÉ VOIR UN JEDI TRAHIR ! TU PAIERAS DE TON SANG TA FORFAITURE !
JE NE VIENS PAS AU NOM DES JEDI...
JE VIENS AU NOM DU FUTUR... DU NOUVEL ÂGE D'OR DE LA GALAXIE.
UN ÂGE D'OR DOMINÉ PAR LES SITH, ET NON PAR CETTE VIEILLE RÉPUBLIQUE !
TU VAS TRANSMETTRE LES ORDRES SUIVANTS À LA FLOTTE...
... QUE CHAQUE AMIRAL ENVOIE SON ESCADRE DANS LE SYSTÈME DE VENTO, AUX COORDONNÉES SUIVANTES...
07.88Z.76. 999--
ES-TU FOU ? SI JE LEUR DONNE LES MÊMES COORDONNÉES À TOUS, ILS VONT SE DÉSINTÉGRER !
A L'APPROCHE DES FORCES JEDI, ALEEMA SAISIT L'OCCASION.
DITES À MANDALORE QUE NOUS BATTONS EN RETRAITE. QU'IL NOUS REJOIGNE DANS LE VAISSEAU-AMIRAL.
IL EST TEMPS QUE ULIC QEL-DROMA AFFRONTE SES SEMBLABLES.
BIEN, EXCELLENCE.
NOUS RETIRER ? MAIS NOUS N'AVONS PAS... JE VEUX PARLER AU SEIGNEUR ULIC..
QEL-DROMA EST MORT... LA FLOTTE ARRIVE ET NOUS BROIERA.
SON EXCELLENCE VEUT QUE VOUS PRENIEZ LA PLACE DE QEL-DROMA À SES CÔTÉS !
A SA GUISE !
PRENEZ CE QUE VOUS POUVEZ ! NOUS PARTONS !

ETRANGE ! ILS BATTENT EN RETRAITE. JE ME DEMANDE SI ULIC EST VRAIMENT LÀ.
OUI, MON FRÈRE EST LÀ.
NOUS LE SENTONS TOUS.
UNE PAGE VIENT D'ÊTRE TOURNÉE POUR TOUTE LA GALAXIE !
LES CHEVALIERS JEDI S'ASSEMBLENT, UNIS CONTRE LES POUVOIRS D'ULIC.
QUI DÉSOBEIT À MES ORDRES ?
MOI, ULIC !
CAY ! NOMI ! VOUS NE DEVRIEZ PAS ÊTRE ICI.
SORTEZ D'ICI, TOUS ! ÇA VAUT MIEUX POUR VOUS.
QUAND J'AI PRÉVU CETTE ATTAQUE...

LORS, JEDI ET JEDI SE FONT FACE...
NON, ULIC QEL-DROMA ! TU DOIS VENIR AVEC NOUS. TOUT EST FINI POUR TOI.
TES FANTASMES SITH NE DOIVENT PLUS FAIRE DE MAL...
CAR LES JEDI PRÉFÈRENT DÉSARMER PLUTÔT QU'ABATTRE.
MAÎTRE VODO ET NOMI SUNRIDER USENT DE LA TECHNIQUE DE "VOILE" ÉNERGÉTIQUE QUE LEUR A ENSEIGNÉ ODAN-URR...
MERCI, MAÎTRE VODO.
A PRÉSENT, CET HOMME EST SOUS LA RESPONSABILITÉ DE LA RÉPUBLIQUE. DONNEZ-LE NOUS.
ULIC QEL-DROMA, TRAÎTRE JEDI... TU SERAS JUGÉ...
ET TU SERAS CONDAMNÉ À MORT !
LES AUTRES JEDI AJOUTENT LEURS POUVOIRS POUR FORTIFIER LE VOILE DE LUMIÈRE AUTOUR D'ULIC.

OR, DANS LA JUNGLE DE YAVIN QUATRE...
VOUS ÊTES À PRÉSENT BIEN PLUS PUISSANTS.
IL NE RESTAIT PAS GRAND-CHOSE DES SITH EMPRISONNÉS DANS L'HOLOCRON, MAIS LEURS RESTES ONT RENCONTRÉ VOS AMBITIONS.

NOUS AVONS TOUS LE MÊME BUT... CHEVALIERS JEDI ET MAGIE SITH... NOUS SERONS INVINCIBLES !

ET QU'ATTENDS-TU DE MOI, EXAR ?

RESTE À MES CÔTÉS, CARDO... J'AI DES TÂCHES IMPORTANTES POUR TOI.

QUANT AUX AUTRES, ILS ME SERVIRONT AUTREMENT.

NOUS DEVONS RETOURNER AUX VAISSEAUX. NOUS AVONS UNE MISSION.
LES JEDI NE VOUDRONT PAS ABANDONNER LEURS TRADITIONS.
MAIS QUEL QUE SOIT LE RÉSULTAT DE L'ATTAQUE D' ULIC QEL-DROMA, NOUS DEVONS MONTRER À LA RÉPUBLIQUE ET À TOUS LES AUTRES JEDI...
... QU'IL NE FAUT JAMAIS SOUS-ESTIMER LE POUVOIR DES SITH !

DANTOOINE.
J'AURAIS DÛ ANTICIPER CETTE GUERRE. L'ORAGE EST PASSÉ, ET JE SAIS CE QU'IL CONTIENT.
CE N'ÉTAIT PAS UN SIMPLE VENT DE CONQUÊTE. C'ÉTAIT LA GUERRE DE LA LUMIÈRE CONTRE L'OBSCURITÉ. ET AU CENTRE, SE TROUVE MON DISCIPLE. EXAR KUN !
MOI, SON MAÎTRE JEDI, J'AI ÉCHOUÉ...
... ET JE DOIS EN ASSUMER LES CONSÉQUENCES.

EXAR KUN M'A BATTU, MOI, SON MAÎTRE, AU SABRELASER.
MAÎTRE ARCA EST MORT...
TANDIS QUE KUN SUCCOMBAIT CÔTÉ OBSCUR.
ET À PRÉSENT, ON ATTAQUE CORUSCANT.
ULIC QEL-DROMA A ÉTÉ ARRÊTÉ, MAIS JE NE SUIS PAS DUPE.
C'EST UN BOUC ÉMISSAIRE !
JE DOIS FAIRE QUELQUE CHOSE ! JE DOIS RÉPARER !
JE DOIS ALLER AU PROCÈS D' ULIC QEL-DROMA. C'EST PEUT-ÊTRE NOTRE DERNIÈRE CHANCE...
ET JE DOIS COMBATTRE.

INNAGA, SYSTÈME IMPÉRIAL DE TETA.
LEUR CHEF ULIC PRISONNIER, LES KRATH DOIVENT SE REGROUPER.
À PRÉSENT, ALEEMA EST À LEUR TÊTE.
MAIS TOUS LES INSURGÉS NE SONT PAS PRÊTS À OUBLIER ULIC...
LE MÊME SORT ATTEND TOUS CEUX QUI METTRONT EN QUESTION MON DROIT À RÉGNER SUR LA FLOTTE !
JE NE SAIS S'IL Y EN AURA BEAUCOUP. ÇA FAIT LONGTEMPS QUE MON HYDRE NE S'EST PAS AMUSÉE AINSI !

SOLÉ DANS LA SALLE DES CARTES DE CINNAGAR, MANDALORE ANALYSE L'ATTAQUE AVORTÉE DE CORUSCANT.
POURQUOI AVONS-NOUS ÉCHOUÉ ? MES GUERRIERS DOIVENT SAVOIR. NOTRE HONNEUR L'EXIGE !
QU'AVONS-NOUS OUBLIÉ ? POURQUOI MAÎTRE ULIC A-T-IL ÉTÉ CAPTURÉ ?
A MOINS QU'ALEEMA N'AIT BATTU EN RETRAITE À DESSEIN...
NOUS A-T-ELLE TRAHIS ? JE DOIS Y RÉFLÉCHIR...
DAME ALEEMA. JE SUIS VENU VOUS PARLER DE MON PLAN POUR SECOURIR ULIC.
NOUS NE DEVONS PAS LE LAISSER AUX MAINS DE NOS ENNEMIS.
NE T'INQUIÈTE PAS POUR LUI. LES JEDI LE RÉPRIMANDERONT, ET IL NOUS OUBLIERA.
NOUS AVONS À FAIRE. ULIC EST PRISONNIER ET EXAR KUN S'OCCUPE DE SES DISCIPLES, SUR CORUSCANT. CETTE GUERRE NOUS APPARTIENT.
JE SUIS HEUREUSE QUE TU M'AIES OFFERT TA PUISSANCE, MANDALORE.
NOUS AVONS BEAUCOUP À PRÉVOIR. NOUS NE DEVONS PAS NOUS ARRÊTER MAINTENANT. NOUS AVONS TROP COURU DE RISQUES POUR NOUS REFUSER LA VICTOIRE.

PRÉPARE TOUTE LA FLOTTE, ARMES ET GUERRIERS.
OUI, MADAME. AVEZ-VOUS AUTRE CHOSE À ME DEMANDER ?
ASSURE-TOI SIMPLEMENT QUE NOS FORCES SONT PRÊTES À UN NOUVEL ASSAUT...
... À MON SIGNAL !
NOUS LES FEINTERONS DE NOUVEAU, ET NOUS IRONS FRAPPER KEMPLEX NEUF !
LES FORCES DE LA RÉPUBLIQUE ONT CRU À UNE DIVERSION ET, À PRÉSENT, ILS LA LAISSENT SANS PROTECTION.
NOUS DEVONS EN PROFITER. TU ES MON GÉNÉRAL, MANDALORE...
MANDALORE TRANSMET LES ORDRES D'ALEEMA, À LA LETTRE. IL SAIT QUE SES GUERRIERS OBÉIRONT.
MAIS IL S'EST ASSIGNÉ UNE AUTRE MISSION.
J'AI JURÉ DE SERVIR LE SEIGNEUR ULIC. JE LE SERS ENCORE, ET JE DOIS TROUVER UN MOYEN...

NTERNÉ DANS LE PALAIS SÉNATORIAL DE CORUSCANT, ULIC DOIT ÊTRE JUGÉ.
CAY QEL-DROMA ET NOMI SUNRIDER SE HÂTENT POUR ASSISTER AU PROCÈS ET TÉMOIGNER EN SA FAVEUR.
ILS VONT LE RÉDUIRE EN PIÈCES !
COMMENT LES BLÂMER, APRÈS CE QU'IL A FAIT ?
JE M'EN MOQUE ! C'EST MON FRÈRE !
JE... JE SAIS !
ULIC A PERDU LA TÊTE. IL FALLAIT L'ARRÊTER, MALGRÉ NOS SENTIMENTS !
NOUS AVONS FAIT DE NOTRE MIEUX. IL EST SEUL RESPONSABLE DE SES ACTES.
UN JEDI N'ABANDONNE PAS, SYLVAR !
MAIS ULIC N'EST PLUS L'HOMME QUE J'AI CONNU...
"ET AIMÉ", AJOUTE SILENCIEUSEMENT NOMI.

SI VOUS ATTENDEZ QUE JE ME REPENTE, VOUS ALLEZ ÊTRE DÉÇUS.

VIENS, QEL-DROMA. TON HEURE EST VENUE.

TENTER DE NOUS ARRÊTER, C'EST TENTER D'ARRÊTER UNE AVALANCHE.

YAVIN QUATRE.
ULIC QEL-DROMA N'EST QUE LA PARTIE ÉMERGÉE DE L'ICEBERG. IL N'EST PAS LA SEULE MENACE.
PAS DU TOUT !
APRÈS AVOIR RÉCUPÉRÉ LEURS VAISSEAUX, LES NOUVEAUX JEDI NOIRS D'EXAR KUN REGAGNENT LA JUNGLE...
IL EST TEMPS DE PORTER NOTRE PREMIER COUP !
LES VIEUX MAÎTRES JEDI SONT LES PILIERS CROÛLANTS D'UN ORDRE FOSSILE.
AVANT DE FAIRE RENAÎTRE L'ÂGE D'OR, NOUS DEVONS RASER CES FONDATIONS...
... LES ÉRADIQUER.
FAITES PLACE AU NOUVEL ORDRE !

ALLEZ, ET FRAPPEZ VOS MAÎTRES JEDI. ILS NE VOUS SOUPÇONNERONT PAS... JUSQU'À CE QU'IL SOIT TROP TARD !
FRAPPEZ, TEL UN COUTEAU DANS LA NUIT. SILENCIEUX, ET MORTEL !
QUE... QU'ATTENDS-TU DE MOI, EXAR KUN ? DOIS-JE TUER MAÎTRE VODO ?
NON, CARDO. ACCOMPAGNE OSS WILUM.
IL AURA BESOIN DE TON AIDE. MAÎTRE THON SERA DIFFICILE À VAINCRE.
JE M'OCCUPE DE VODO.
BIEN AU-DESSUS DE LA PLANÈTE, UN AUTRE VAISSEAU BRÛLE D'ATTERRIR.

EXAR KUN, JE DOIS TE PARLER.
J'AI POUSSÉ MON VAISSEAU POUR VENIR ICI AU PLUS VITE.
MON MAÎTRE, ULIC QEL-DROMA, A ÉTÉ CAPTURÉ. LA RÉPUBLIQUE VA LE JUGER.
JE DOIS LE SECOURIR, OU MOURIR.
ET TU VEUX MON AIDE...
TRÈS BIEN, ALLONS LIBÉRER CE PAUVRE ULIC. APRÈS CELA, IL PRENDRA PEUT-ÊTRE MES AVERTISSE-MENTS AU SÉRIEUX...
... ET NOUS MONTRERONS À LA RÉPUBLIQUE QU'ILS SONT DÉMUNIS, FACE À NOUS.

ORUSCANT, CHAMBRE DU SÉNAT DE LA RÉPUBLIQUE.
ULIC QEL-DROMA, TU ES UNE MENACE POUR LA PAIX ET LA SÉCURITÉ DE LA RÉPUBLIQUE GALACTIQUE.
LA LISTE DE TES CRIMES EST LONGUE : DESTRUCTION DE CHANTIERS NAVALS, SACCAGE DE BASES D'APPROVISIONNEMENT, ENRÔLEMENT DE MERCENAIRES...
ET, PLUS GRAVE ENCORE, TRAHISON DE TON HÉRITAGE DE CHEVALIER JEDI...
... ET DE TON VOEU DE PROTÉGER LA RÉPUBLIQUE ! QUE PLAIDES-TU ?
JE NE PLAIDE PAS AVEC DES IMBÉCILES. VOUS ÊTES LES PANTINS D'UNE TRADITION VERMOULUE...

L'ÂGE D'OR QUI VIENT N'EST PAS FAIT POUR VOUS.
VOTRE RÉPUBLIQUE N'EST QU'UNE DIVERSION PITOYABLE...
ET ELLE NE SIGNIFIE RIEN !
LA GLOIRE PASSÉE DES SITH RÉDUIRA TOUS VOS ACCOMPLISSEMENTS EN POUSSIÈRE !
ULIC ! QUE DIS-TU ? ARRÊTE ! JE VAIS LEUR EXPLIQUER !
CAY ! LAISSE TOMBER ! JE N'AI PAS BESOIN DE TON AIDE !
SÉNATEURS ! JE VOUS IMPLORE ! NE L'ÉCOUTEZ PAS ! IL A ÉTÉ PROFONDÉMENT PERTURBÉ PAR LA MORT DE MAÎTRE ARCA. IL A TENTÉ D'INFILTRER LES KRATH, MAIS ILS L'ONT... ENSORCELÉ !
IL A FAIT TANT DE BIEN POUR LA RÉPUBLIQUE... SOUVENEZ-VOUS !

CAY, TU NE COMPRENDS PAS CE QUI SE PASSE. TU NE COMPRENDS RIEN.
J'ESSAIE SEULEMENT D'AIDER MON FRÈRE !
CLANK
EXCUSEZ-MOI. PUIS-JE ME JOINDRE À LA DISCUSSION ? J'AI UNE CHOSE INTÉRESSANTE À VOUS MONTRER !
BOOOM BOOOM

ENFIN, EXAR KUN, IL EST TEMPS !
MAÎTRE ARCA NE T'A-T-IL PAS ENSEIGNÉ LA PATIENCE, ULIC ? MAÎTRE VODO NE CESSAIT DE ME LA PRÊCHER.
TOUTE L'ASSISTANCE EST FIGÉE, OBLIGÉE DE REGARDER SANS POUVOIR RÉAGIR. LE MALÉFICE D'EXAR KUN A AGI SILENCIEUSEMENT, ET PARFAITEMENT.
JE T'AI JURÉ LOYAUTÉ, SEIGNEUR ULIC. PARDONNE-MOI D'AVOIR MIS SI LONGTEMPS POUR VENIR.
MERCI, MANDALORE. TA DÉVOTION M'IMPRESSIONNE !
CAY ! POSE CETTE ARME ! TU NE PEUX PAS NOUS COMBATTRE !
ULIC ! ARRÊTE ! C'EST NOUS !
NOMI... JE T'AI DIT ET REDIT DE NE PLUS T'INTERPOSER ! J'AI... J'AI FAIT MES CHOIX !
NE ME FORCE PAS À TE FAIRE DU MAL !

OÙ EST MON COMPAGNON, CARDO ?
IL T'A TOUJOURS ADMIRÉ, EXAR KUN. QU'AS-TU FAIT DE LUI ?
EXAR KUN SE RAPPELLE LA CICATRICE QUE LUI A FAITE SYLVAR.
MAIS LA FEMELLE CATHARE NE L'INTÉRESSE PAS...
MON AMI CARDO APPREND À DEVENIR FORT, BEAUCOUP PLUS QUE TOI, SYLVAR....
JE L'AI ENVOYÉ EN MISSION...
ULIC, JE T'EN CHARGE.

QUI ES-TU ? QUE SE PASSE-T-IL ? GARDES !
JE CRAINS QU'ILS NE SOIENT OCCUPÉS.
JE VOULAIS SEULEMENT TE DIRE QUE TOUT LE SÉNAT RÉPUBLICAIN NE SERT À RIEN. LES JEDI VOUS ONT BICHONNÉS PENDANT DES SIÈCLES.
MAIS VOUS ÊTES INUTILES ET DÉPASSÉS...
VOUS ÊTES DES PANTINS !
ALLEZ ! DIS-LE !
NOUS SOMMES DES PANTINS...
Mmh

L'EMPIRE SITH RENAÎTRA ET NOUS EN SOMMES L'ÉTINCELLE...
NOUS SOMMES L'ÉTINCELLE ...
LES FLAMMES RASERONT LA RÉPUBLIQUE ET CONSUMERONT VOS OEUVRES...
... ET RAMÈNERONT UN NOUVEL ÂGE D'OR, PLUS GLORIEUX QUE JAMAIS.
TU PEUX CHOISIR DE TE JOINDRE À CETTE RENAISSANCE... OU DE T'ÉCARTER !
PEU IMPORTE... NOUS RÉUSSIRONS, AVEC OU CONTRE VOUS...
REGARDE, ULIC, ILS SONT SANS VOIX !

NOUS AVONS FAIT TOUT ÇA POUR VOUS MONTRER L'INUTILITÉ ET L'INEFFICACITÉ DE LA RÉPUBLIQUE. NOUS N'AVONS PAS BESOIN DE VOUS.
LA RÉPUBLIQUE NE FAIT MÊME PAS PARTIE DE NOS PLANS.
ULIC ! QUE SE PASSE-T-IL ? ARRÊTE ÇA !
MON FRÈRE, VIENS AVEC MOI OU LAISSE-MOI TRANQUILLE. UNE TÂCHE IMPORTANTE M'ATTEND.
SI TU VEUX M'ARRÊTER, IL FAUDRA ME TUER.
JE... NE PEUX PAS.
MOI, SI.
MAIS C'EST EXAR KUN QUI DOIT ÊTRE ARRÊTÉ, PAS ULIC.

MAÎTRE VODO !
JE DOIS FAIRE CECI MOI-MÊME, SYLVAR.
OUI, MAÎTRE VODO ET MOI AVONS UNE AFFAIRE À RÉGLER.
NE ME DITES PAS QUE VOUS VENEZ VOUS JOINDRE À LA CAUSE DES SITH, MAÎTRE VODO.
EXAR KUN, JE DOIS TE PARLER.
JE VOUS ÉCOUTE, MAÎTRE...
... NOTRE AUDIENCE EST TOUT OUÏE...
TU NE FAIS QUE COMPLOTER ET DÉTRUIRE, EXAR KUN...
VOUS DEVRIEZ VOIR TOUT CE QUE J'AI ACCOMPLI ! C'EST MAGNIFIQUE ! PLUS GRAND QUE TOUT CE QUE CONTENAIT L'HOLOCRON...

VOUS ME SERIEZ UTILE, MAÎTRE VODO. VOUS SERIEZ UN IMMENSE ALLIÉ POUR LA CONFRÉRIE SITH...
TU SAIS BIEN QUE JE DOIS REFUSER.
QUEL DOMMAGE. VOUS M'AVEZ DÉJÀ COMBATTU, ET DÉFAIT...
POURQUOI NE PAS M'ACCORDER UNE REVANCHE ? CETTE FOIS-CI, AUGMENTONS LES ENJEUX...
SI VOUS ME BATTEZ, JE RETOURNERAI AUPRÈS DE VOUS, ET JE SUBIRAI LA FORMATION QUE VOUS VOUDREZ...
SI C'EST MOI QUI GAGNE, VOUS VOUS JOINDREZ À LA CONFRÉRIE, ET OEUVREREZ À MES CÔTÉS.
TU SAIS QUE JE NE M'INCLINERAI JAMAIS DEVANT LES VOIES DU MAL.
PEU IMPORTE... NOUS RÉGLERONS LES DÉTAILS PLUS TARD.

JE T'IMPLORE DE RÉVISER TES ACTES ET DE ME REVENIR. CESSE DE MALMENER LA GALAXIE TOUT ENTIÈRE... C'EST INDIGNE DE TOI. C'EST INDIGNE DE NOUS, ET CELA OFFENSE LA TRADITION JEDI.
ET QUE POUVEZ-VOUS M'OFFRIR EN ÉCHANGE, MAÎTRE VODO ? J'AI DÉJÀ APPRIS VOS LEÇONS... ET ELLES M'ONT PARU INSUFFISANTES.
A MOI SEUL, J'AI ÉDIFIÉ DES CENTAINES DE TEMPLES, MIS AU JOUR UN ANTIQUE VAISSEAU, ÉTUDIÉ LES SAVOIRS QUE VOUS ET LES AUTRES MAÎTRES REDOUTIEZ D'ÉTUDIER.
VOYEZ COMBIEN LES ENSEIGNEMENTS DES SITH SONT PUISSANTS... QUAND ON EN USE CORRECTEMENT !

IL EST TEMPS DE RENDRE CECI UN PEU PLUS INTÉRESSANT. QUE PENSEZ-VOUS DES AMÉLIORATIONS QUE J'AI APPORTÉES À MON SABRELASER, MAÎTRE ?

REJOIGNEZ-MOI, MAÎTRE VODO.
CE N'EST PAS FINI, EXAR KUN.
TOI ET MOI, NOUS NOUS BATTRONS DE NOUVEAU. PEUT-ÊTRE PAS AVANT LONGTEMPS, MAIS JE TE VAINCRAI.
DES MOTS. PARTEZ DONC VERS D'AUTRES CIEUX, MON MAÎTRE. A PRÉSENT, LA GALAXIE M'APPARTIENT.
LES MURMURES DU PASSÉ MONTENT À LA MÉMOIRE D'EXAR KUN... NAGUÈRE, MAÎTRE VODO LUI DISAIT : "JE SENS EN TOI UN MANQUE, UN VIDE DONT TU N'AS PAS CONSCIENCE. UN ENDROIT QUI RESTE INVISIBLE PARCE QU'AUCUNE LUEUR NE S'ÉCHAPPE DE CETTE RÉGION DE TON COEUR."...

KUN ! ASSASSIN !
RESTE EN DEHORS DE ÇA, SYLVAR.
NOUS DEVONS PARTIR, À PRÉSENT. LA DÉMONSTRATION EST FAITE.
LES MEMBRES DU SÉNAT PENSENT QU'ILS DIRIGENT LA GALAXIE, MAIS ILS NE SONT QUE DES FANTOCHES.
NOUS SOMMES FATIGUÉS DE SERVIR LEURS FAIBLESSES. A PRÉSENT, NOUS OEUVRERONS À NOS PROPRES FINS.
LA CONFRÉRIE DES SITH DIRIGE LA GALAXIE.

AVIN QUATRE.
VOTRE CAPTURE SUR CORUSCANT N'ÉTAIT PAS UN ACCIDENT, SEIGNEUR ULIC...
ALEEMA VOUS A TRAHI , J'EN AI LA PREUVE.
ELLE M'A TOUJOURS MANIPULÉ. D'ABORD PAR LA TORTURE ET LE POISON...
... ENSUITE PAR L'AMOUR.
ELLE M'A FAIT TUER SON COUSIN, SATAL KETO, POUR ACCROÎTRE SES PROPRES POUVOIRS...
... PUIS ELLE A VOULU SE DÉBARRASSER DE MOI...
... AFIN DE TOUT CONTRÔLER..
... MAIS NOUS SAVONS NOUS OCCUPER DES TRAÎTRES... QUELS QU'ILS SOIENT.
NOS PLANS SONT EN BONNE VOIE. D'ICI QUELQUES JOURS, NOS INTERVENTIONS AURONT SUBMERGÉ LA GALAXIE.
LA RÉPUBLIQUE ET LES JEDI SONT IMPUISSANTS, COMME NOUS L'AVONS DÉMONTRÉ.
ULIC!
COMME JE SUIS HEUREUSE DE TE RETROUVER ! VAS-TU MENER L'ASSAUT ?
NON, ALEEMA. JE PENSE QUE JE VAIS TE LAISSER CET HONNEUR.
MALGRÉ LES ATTENTIONS SÉDUCTRICES D'ALEEMA, ULIC QEL-DROMA EST TROUBLÉ PAR LES SOUVENIRS DE NOMI SUNRIDER.

A
MBRIA, DANS LE SYSTÈME DE STENNESS.
APRÈS LE PROCÈS D'ULIC QEL-DROMA ET L'ASSASSINAT DE MAÎTRE VODO, NOMI SUNRIDER EST RETOURNÉE DANS UN LIEU RICHE DE SOUVENIRS : LA PLANÈTE DE MAÎTRE THON, SON PREMIER MENTOR.
MAÎTRE THON !
MALGRÉ SES POUVOIRS DE JEDI, NOMI SE SENT IMPUISSANTE. AVEC SON AMIE SYLVAR, ELLE EST VENUE PANSER SES PLAIES...
... ET REPRENDRE SA FORMATION.
NARRHH ! JE VOIS QUE TU AS AMENÉ TA FILLE, VIMA !
BIEN.. CHRRR ! UN JOUR, ELLE AUSSI SERA JEDI.
NOUS APPRÉCIONS VOTRE SAGESSE, MAÎTRE THON !
PLUS VITE !
NARRRH ! UN VRAI JEDI NE CESSE JAMAIS D'APPRENDRE. ICI, VOUS SEREZ EN PAIX POUR RÉFLÉCHIR.

OR, D'AUTRES JEDI SE SONT POSÉS SUR LA PLANÈTE, DANS UN BUT MOINS AVOUABLE...
EXAR KUN A CONDAMNÉ À MORT TOUS LES VIEUX MAÎTRES JEDI !
OSS WILUM, ANCIEN DISCIPLE DE THON...
... EST AUJOURD'HUI POSSÉDÉ PAR LE MAL !
EST-CE L'ENDROIT, OSS WILUM ? JE SENS LE CÔTÉ OBSCUR, PAR ICI.
C'EST BIEN L'ENDROIT, CARDO...
... IL CONTIENT CE QUE NOUS VOULONS... POUR DÉTRUIRE NOS ENNEMIS.
LE LAC EST LE REPAIRE DES CRÉATURES DU CÔTÉ OBSCUR, TENUES À L'ÉCART PAR LES POUVOIRS DE MAÎTRE THON...
...MAIS AUJOURD'HUI LIBÉRÉS PAR UN AUTRE POUVOIR !

VOICI VOS VICTIMES.
ELLES DOIVENT TOUTES MOURIR, POUR PERMETTRE LE NOUVEL ÂGE D'OR DES SITH.
ELLES DOIVENT MOURIR ...
... MÊME SYLVAR.

SENTANT VENIR L'ATTAQUE, LES JEDI SE RASSEMBLENT POUR AFFRONTER LES MONSTRES.
OSS WILUM CONTRÔLE LES BÊTES PAR SON POUVOIR...
...ET LES POUSSE À TUER !

NOMI SUNRIDER RECOURT À LA MÉDITATION GUERRIÈRE...
... POUR DISTRAIRE ET TERRASSER LES MONSTRES.

SZRRR ! C'EST UN MAUVAIS JOUR ! J'AI DÛ TUER !
TU AS FAIT ASSEZ DE MAL, JEDI NOIR !
OSS WILUM, MON PROPRE DISCIPLE !
NGRR TSSHH ! POURQUOI AI-JE ÉCHOUÉ ?
VOYANT SON COMPLICE SITH ABATTU, CARDO COMPREND QU'IL NE PEUT PLUS COMBATTRE...
... MAIS IL NE PEUT CROIRE QUE SA COMPAGNE D'HIER PUISSE L'ATTAQUER.
SYLVAR ! NON...
CARDO ! TRAÎTRE !
ASSASSIN !
MAÎTRE VODO EST MORT, ET TU AS AIDÉ EXAR KUN À LE TUER !
AAARRKHH!

ET À TRAVERS LA DOULEUR ET LE DÉSESPOIR, CARDO SE SOUVIENT DU PASSÉ...
... DU JOUR OÙ SYLVAR INFLIGEA LA MÊME BLESSURE À EXAR KUN !
SYLVAR...
CARDO EST PERDU À JAMAIS. IL A REJOINT LE CÔTÉ OBSCUR.
MAIS NOUS CONNAISSONS OSS WILUM ET CARDO ! ET ILS ESSAYAIENT DE NOUS TUER ?
POURQUOI, MAÎTRE THON ?
NGRRR... J'AI ÉTÉ CHOISI POUR CIBLE PAR MON PROPRE DISCIPLE...
... J'ESPÈRE QUE LES AUTRES MAÎTRES SONT EN SÉCURITÉ...

BIEN DES ANNÉES-LUMIÈRE AU LOIN...
LE POGROM CONTINUE, SOUS LES ORDRES D'EXAR KUN.
... DISCIPLE CONTRE MENTOR...

... LES AUTRES MAÎTRES JEDI SONT ABATTUS...
... ET LA LUMIÈRE DE LA FORCE ENGLOUTIE PAR LA MAGIE DES SITH.

L'EMPIRE SITH DOIT REVIVRE...
... MAIS LES TRADITIONS JEDI S'INTERPOSENT !
TU ÉTAIS MA DISCIPLE PRÉFÉRÉE, ZONA LUKA...
JE N'AI RIEN CONTRE VOUS, MAÎTRE DOMINUS !
... MAIS J'AI JURÉ DE COMBATTRE POUR LA FORCE...
... FÛT-CE CONTRE TOI...

IL ADVIENT QUE TROIS CHEVALIERS JEDI TOMBENT SUR UNE SCÈNE DE CARNAGE...
MALHEUREUSEMENT, CE N'EST PAS LE PREMIER MAÎTRE ASSASSINÉ QUE DÉCOUVRENT QRRL TOQ, DACE DIATH ET SHOANEB CULU.
POURQUOI A-T-ON VOULU TUER MAÎTRE DOMINUS ?
IL SEMBLE S'ÊTRE BIEN DÉFENDU.
VOILÀ LA CAUSE DU GRAND TROUBLE QUE J'AI NAGUÈRE RESSENTI DANS LA FORCE...
ZONA LUKA !
MAIS POURQUOI A-T-ELLE ATTAQUÉ SON PROPRE MAÎTRE ?
ELLE DEVAIT AVOIR DE PUISSANTES ARMES !
QUE DE COUPS, DEPUIS LA MORT DE MAÎTRE VODO !
LES SITH NOUS FONT LA GUERRE PAR LEURS ARMÉES ET PAR LEUR RECOURS MALÉFIQUE À LA FORCE...
... MAUDITS SOIENT QEL-DROMA ET KUN !

AVIN QUATRE, DANS LE GRAND TEMPLE MASSASSI.
NOUS AVONS ÉCHOUÉ, EXAR ! J'AI ÉCHOUÉ.
OSS WILUM A ÉTÉ CAPTURÉ ET MAÎTRE THON EST VIVANT.
JE N'AI RIEN PU FAIRE.
CE N'EST QU'UN INCIDENT, CARDO, MON AMI.
JE VOUS PRIE DE ME DONNER UNE AUTRE CHANCE ! LAISSEZ-MOI COMMANDER, COMME VOUS !
SI TU LE DÉSIRES TANT, CARDO...
... OUI, NOUS ALLONS EMBARQUER POUR NOTRE GRANDE OFFENSIVE MILITAIRE. TU Y JOUERAS UN RÔLE IMPORTANT.
GRÂCE À ULIC, ALEEMA A ÉTÉ CHOISIE POUR CONDUIRE L'ASSAUT.
CARDO SERA SON COMMANDANT DE BORD.
OUI, EXAR !
NOUS FRAPPERONS À KEMPLEX NEUF, DANS LE SECTEUR AURILE. C'EST UNE IMPORTANTE STATION DE TRANSIT. NOUS POURRONS Y ATTIRER UNE GRANDE PARTIE DE LA FLOTTE RÉPUBLI-CAINE.
ET LA DÉTRUIRE AU MOYEN DE LA MAGIE SITH ! EXAR KUN, MONTRE-MOI L'ARME ANCIENNE DONT TU M'AS PARLÉ...

INSTALLÉS DANS LA SALLE DE CONTRÔLE DU VAISSEAU DE NAGA SADOW....
IL Y A UN MILLÉNAIRE, UN DE MES PRÉDÉCESSEURS, LE SEIGNEUR NOIR NAGA SADOW, A EU RECOURS À CE VAISSEAU POUR FUIR LES RÉPUBLICAINS.
IL A LE POUVOIR DE DÉCHAÎNER LE FEU DES ÉTOILES. JE VAIS TE MONTRER, ALEEMA.
OUI ! JE SENS LA PUISSANCE SITH VIBRER DANS LES PAROIS !
TRÈS IMPRESSIONNANT, EXAR !
JE SUIS VOTRE BRAS DROIT, SEIGNEUR ULIC ! VOUS AI-JE DÉÇU EN QUELQUE MANIÈRE ? POURQUOI ME REFUSER L'HONNEUR DE DIRIGER CETTE MISSION ?
POURQUOI LE LUI ACCORDER, À ELLE ? VOUS SAVEZ CE QU'ELLE VOUS A FAIT.
OUI, JE SAIS QU'ELLE M'A TRAHI EN PRÉTENDANT M'AIMER.
MAIS SACHANT QU'ELLE M'A TRAHI, JE PEUX L'UTILISER À NOTRE PROFIT.
SI SEULEMENT CARDO N'ÉTAIT PAS SI IMPATIENT... IL EST TOUT À FAIT LOYAL...
... MAIS IL EST FAIBLE, ET DEVIENT GÊNANT.
AVANT LE DÉPART DE LA FLOTTE D'ASSAUT CONTRE KEMPLEX NEUF...
QU'EST-CE QUI TE TROUBLE, ULIC ? NOUS ALLONS VERS LA GLOIRE !
RIEN... BONNE CHANCE !
JE NE T'ABANDONNERAI PAS, EXAR ! NOUS ÉCRASERONS LES JEDI.
OUI, CARDO, TU VAS PERMETTRE LA VICTOIRE FINALE.
ET QUAND CETTE BATAILLE SERA TERMINÉE, NOUS MARCHERONS SUR OSSUS ET NOUS ENLÈVERONS AUX JEDI TOUT CE QU'ILS POSSÈDENT DE PLUS PRÉCIEUX.

OSSUS, DANS LA GRANDE BIBLIOTHÈQUE, LES JEDI EXPRIMENT LEUR COLÈRE.
HUIT GRANDS MAÎTRES ONT ÉTÉ ASSASSINÉS !
JE ME SENS RESPONSABLE ! MON FRÈRE, ULIC, S'EST JOINT À EXAR KUN !
ILS SONT DERRIÈRE TOUT ÇA !
OUI... C'EST ULIC... IL N'A PAS RÉUSSI À ÉCHAPPER AU CÔTÉ OBSCUR.
ET CARDO LES A REJOINTS AUSSI.
NGRRA PSCHH... METTONS NOS SENTIMENTS À PART.
NOUS AVONS UNE GUERRE À FAIRE.
MAUVAISES NOUVELLES. UN MESSAGE DE KEMPLEX NEUF, DANS LE SECTEUR AURILE. LE SYSTÈME DE CRON.
ILS SONT ATTAQUÉS PAR UN ANCIEN VAISSEAU SITH !
OSSUS EST UN MONDE DE PAIX, MAIS IL DISPOSE DE QUELQUES ARMES DE DÉFENSE ET D'UNE FLOTTE BIEN ÉQUIPÉE.
ET C'EST LA SEULE PLANÈTE ASSEZ PROCHE POUR VENIR EN AIDE À LA STATION.

JE PENSE QUE CETTE ATTAQUE EST UNE RUSE. QUE TROUVERAIENT-ILS À KEMPLEX NEUF ?
TOUT CE QUE DÉSIRE EXAR KUN EST ICI, SUR OSSUS. SOYONS VIGILANTS.
NOUS TROIS, ALLONS CONTRE-ATTAQUER. NOUS PRENDRONS LE COMMANDEMENT DE LA FLOTTE.
OUI. DONNEZ-NOUS DES VAISSEAUX ET NOUS DÉTRUIRONS CES SITH.
VOUS AUTRES, RESTEZ ICI ET PROTÉGEZ OSSU.

EMPLEX NEUF ÉTAIT UNE LUMINEUSE CITÉ SPATIALE...
... SEULE STATION HABITÉE DANS UN AMAS INSTABLE DE DIX ÉTOILES, LE SYSTÈME DE CRON.
MAIS APRÈS L'ATTAQUE D'ALEEMA, NUL VIE N'Y SUBSISTE !
NOUS ARRIVONS TROP TARD ! JE NE SENS PAS DE SURVIVANTS.
ATTENDS, SHOANEB... JE VOIS DES TRAINÉES IONIQUES. UN VIEUX VAISSEAU. ILS SONT ENCORE ICI !
ALLONS-Y, DACE, TAILLONS-LES EN PIÈCES !
D'ACCORD, QRRL TOQ !

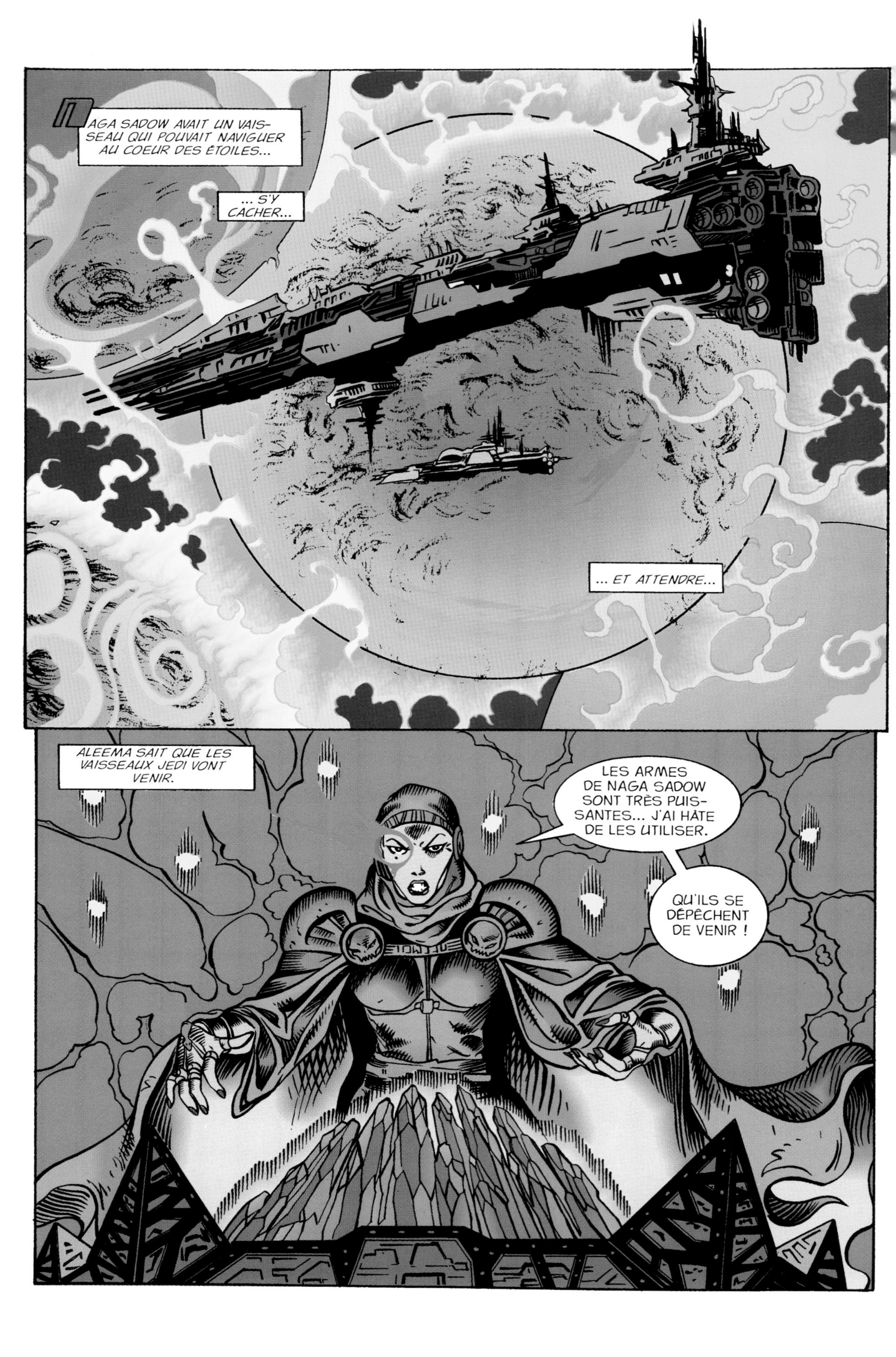
NAGA SADOW AVAIT UN VAISSEAU QUI POUVAIT NAVIGUER AU COEUR DES ÉTOILES...
... S'Y CACHER...
... ET ATTENDRE...
ALEEMA SAIT QUE LES VAISSEAUX JEDI VONT VENIR.
LES ARMES DE NAGA SADOW SONT TRÈS PUISSANTES... J'AI HÂTE DE LES UTILISER.
QU'ILS SE DÉPÊCHENT DE VENIR !

VAISSEAUX JEDI EN APPROCHE, ALEEMA. LEURS ARMES SONT PRÊTES.
DOIS-JE LES ATTAQUER ?
NON, CARDO... LAISSE-LES MOI.

VAISSEAU SITH ! RENDEZ-VOUS AVANT D'ÊTRE DÉTRUIT !
NOUS SERIONS HEUREUX DE VOUS ÉCRASER !

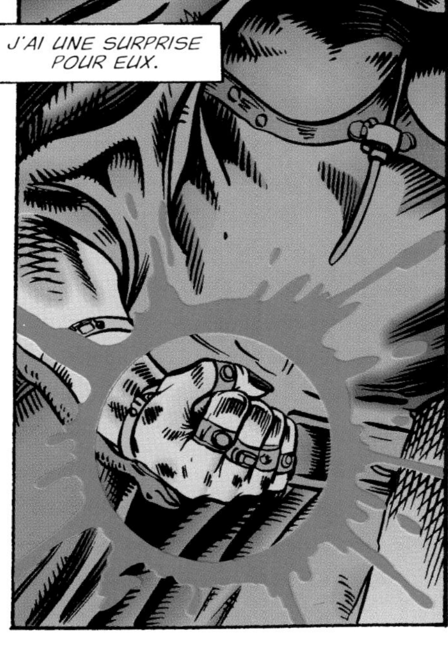
J'AI UNE SURPRISE POUR EUX.

ILS NE RÉPONDENT PAS, MAIS ILS MIJOTENT QUELQUE CHOSE.

LEURS ARMES ONT MILLE ANS D'ÂGE. S'ILS VEULENT COMBATTRE, ILS VONT VOIR !

ALORS QUE LES POURSUIVANTS TRAVERSENT L'AMAS DE CRON, ALEEMA EMPLOIE LES POUVOIRS QU'EXAR KUN LUI A MONTRÉS...
... PUISANT DANS L'ÉNERGIE DES ÉTOILES, ELLE IRRADIE UNE PUISSANCE TERRIFIANTE !

LA FORCE ! ELLE SE TORD ! ELLE SE DÉCHIRE !
C'EST IMPOSSIBLE! AUCUN JEDI NE PEUT FAIRE ÇA !

NOUS TIRONS, CHEF, MAIS LES SCANNERS SONT PARASITÉS ! COMME SI UN AUTRE SOLEIL...
ATTENTION
YAAAARHGH!!!

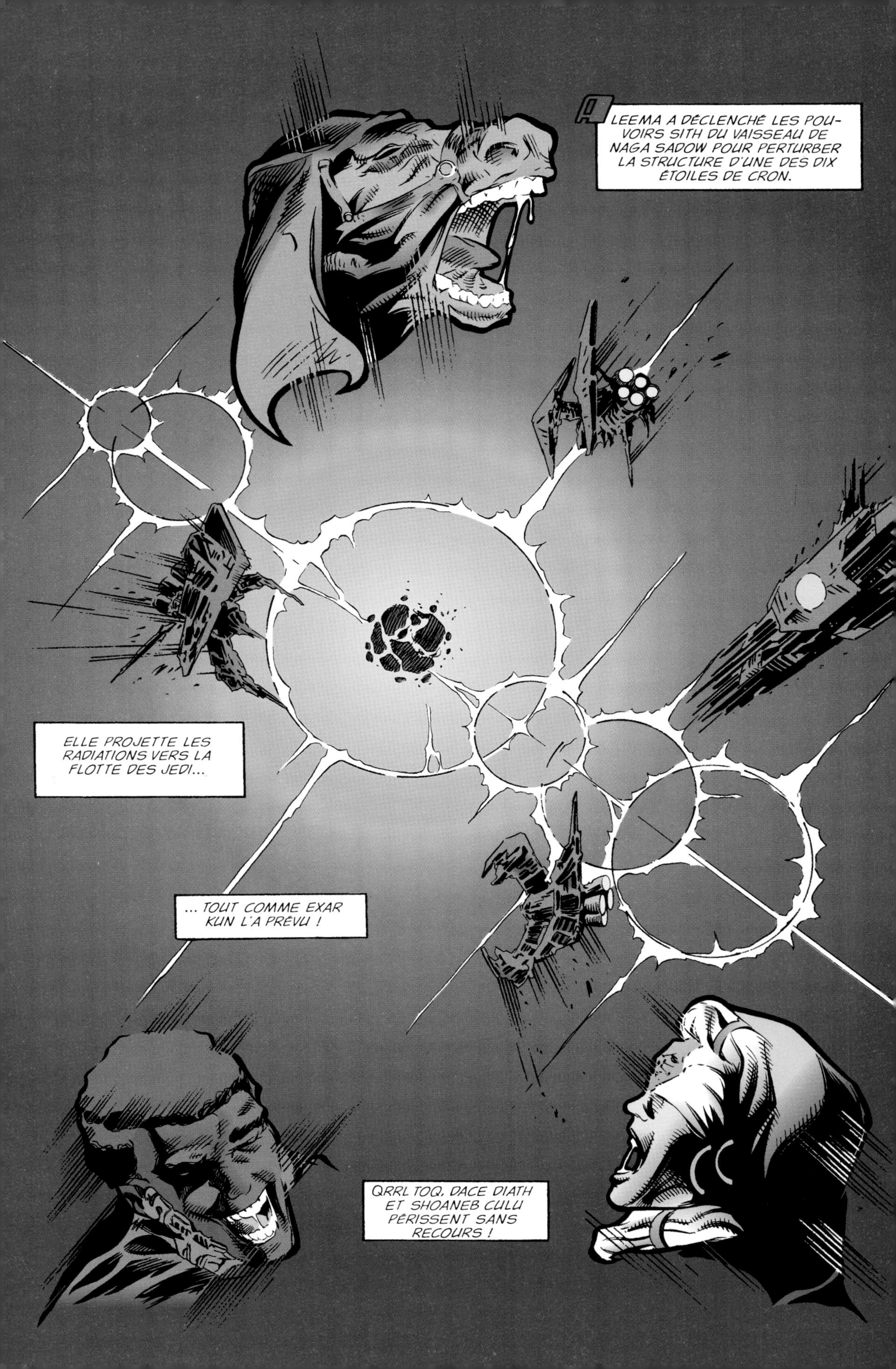
LEEMA A DÉCLENCHÉ LES POUVOIRS SITH DU VAISSEAU DE NAGA SADOW POUR PERTURBER LA STRUCTURE D'UNE DES DIX ÉTOILES DE CRON.
ELLE PROJETTE LES RADIATIONS VERS LA FLOTTE DES JEDI...
... TOUT COMME EXAR KUN L'A PRÉVU !
QRRL TOQ, DACE DIATH ET SHOANEB CULU PÉRISSENT SANS RECOURS !

BAIGNÉS DE RAYONS GAMMA, DE RAYONS X ET DE DÉCHARGES IONIQUES, LES VAISSEAUX SONT STÉRILISÉS EN UN INSTANT. TOUTE VIE Y EST INCINÉRÉE EN UN ÉCLAIR.
LES TROIS VAISSEAUX JEDI NE SONT PLUS QUE DES ÉPAVES CALCINÉES.
MÊME LEURS SIGNAUX DE DÉTRESSE SE SONT ÉTEINTS.
TOUT S'EST PASSÉ SELON LES PLANS D'EXAR KUN ET D'ULIC QEL-DROMA.

...MAIS CE PLAN NE S'ARRÊTE PAS LÀ !
LES JEDI ONT ÉTÉ ANÉANTIS !
EXAR KUN SERA FIER DE NOUS... ATTENDEZ !
L'ÉTOILE ! ÇA N'ÉTAIT PAS PRÉVU !
MAIS... J'AI FERMÉ LA SOURCE D'ÉNERGIE DE L'ARME !

À SON INSU, ALEEMA A ENTRAÎNÉ UNE RÉACTION EN CHAÎNE DANS L'UNE DES ÉTOILES DE CRON...
ET CELLE-CI SE MET...
... À IMPLOSER...
FUYONS ! EN AVANT TOUTE !
EN UN INSTANT, TOUTE L'ÉNERGIE CONTENUE DANS L'ÉTOILE SE LIBÈRE...
... ET EXPLOSE !

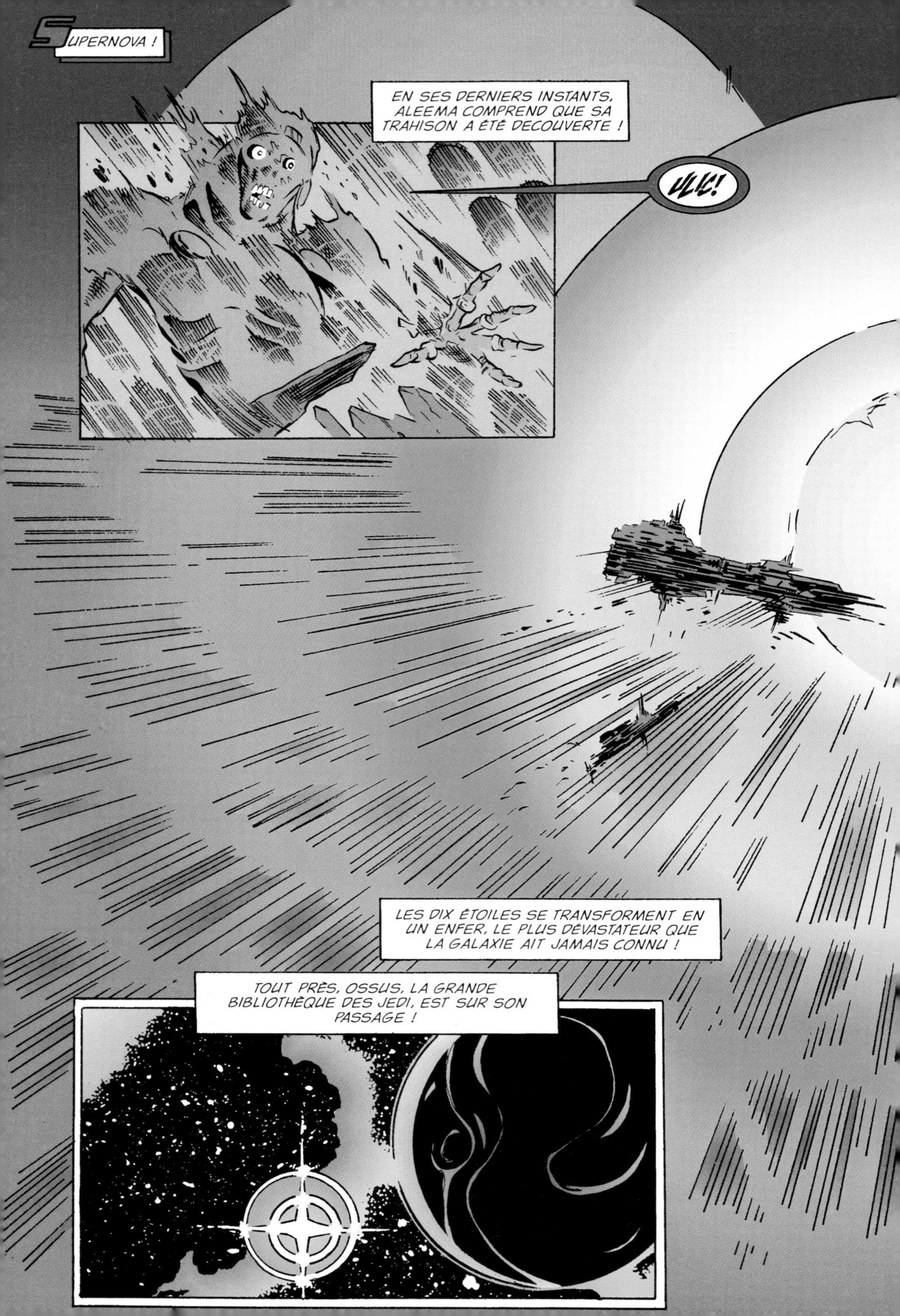
SUPERNOVA !
EN SES DERNIERS INSTANTS, ALEEMA COMPREND QUE SA TRAHISON A ÉTÉ DÉCOUVERTE !
ULIC!
LES DIX ÉTOILES SE TRANSFORMENT EN UN ENFER, LE PLUS DÉVASTATEUR QUE LA GALAXIE AIT JAMAIS CONNU !
TOUT PRÈS, OSSUS, LA GRANDE BIBLIOTHÈQUE DES JEDI, EST SUR SON PASSAGE !

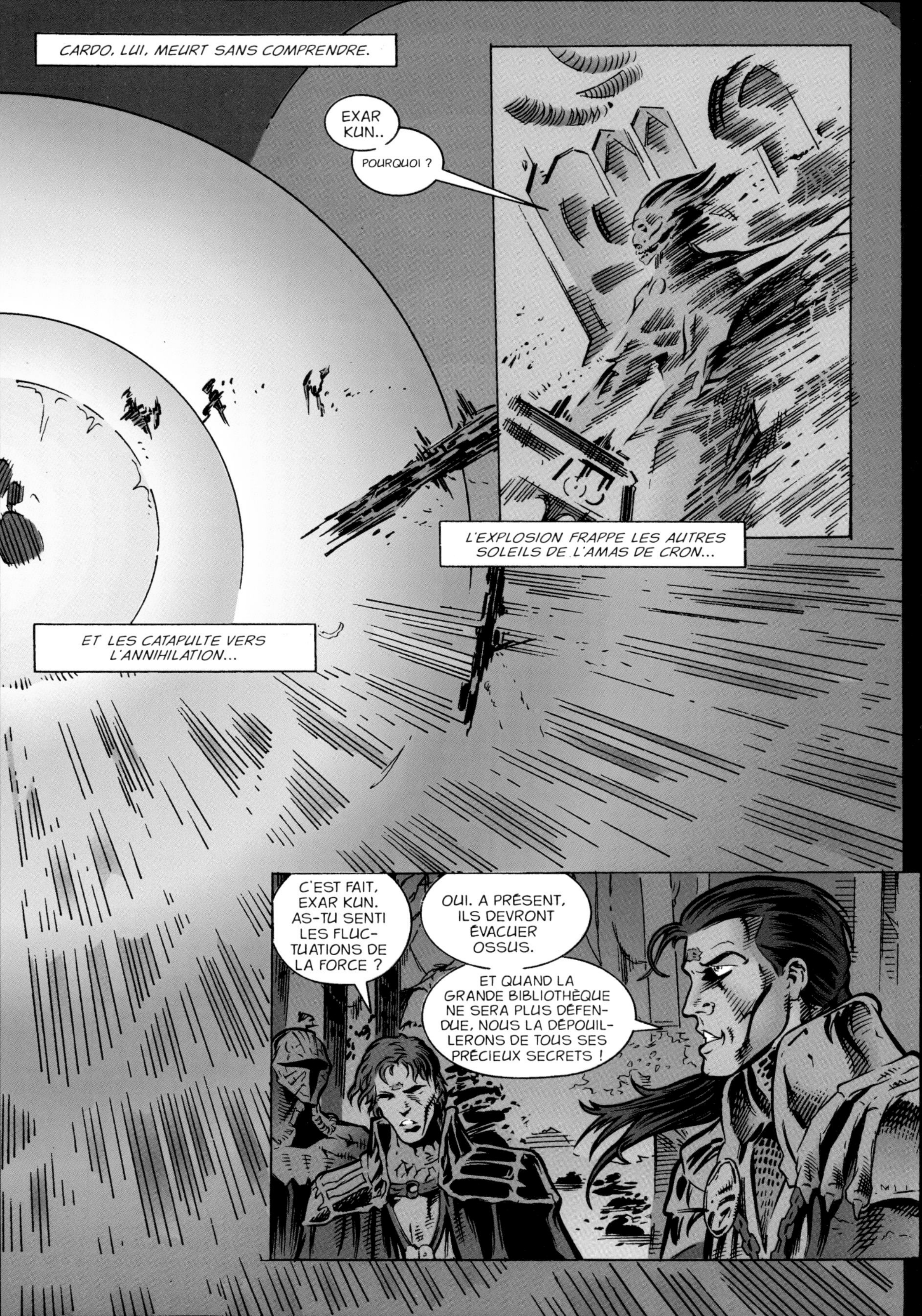
CARDO, LUI, MEURT SANS COMPRENDRE.
EXAR KUN..
POURQUOI ?
L'EXPLOSION FRAPPE LES AUTRES SOLEILS DE L'AMAS DE CRON...
ET LES CATAPULTE VERS L'ANNIHILATION...
C'EST FAIT, EXAR KUN. AS-TU SENTI LES FLUCTUATIONS DE LA FORCE ?
OUI. A PRÉSENT, ILS DEVRONT ÉVACUER OSSUS.
ET QUAND LA GRANDE BIBLIOTHÈQUE NE SERA PLUS DÉFENDUE, NOUS LA DÉPOUILLERONS DE TOUS SES PRÉCIEUX SECRETS !

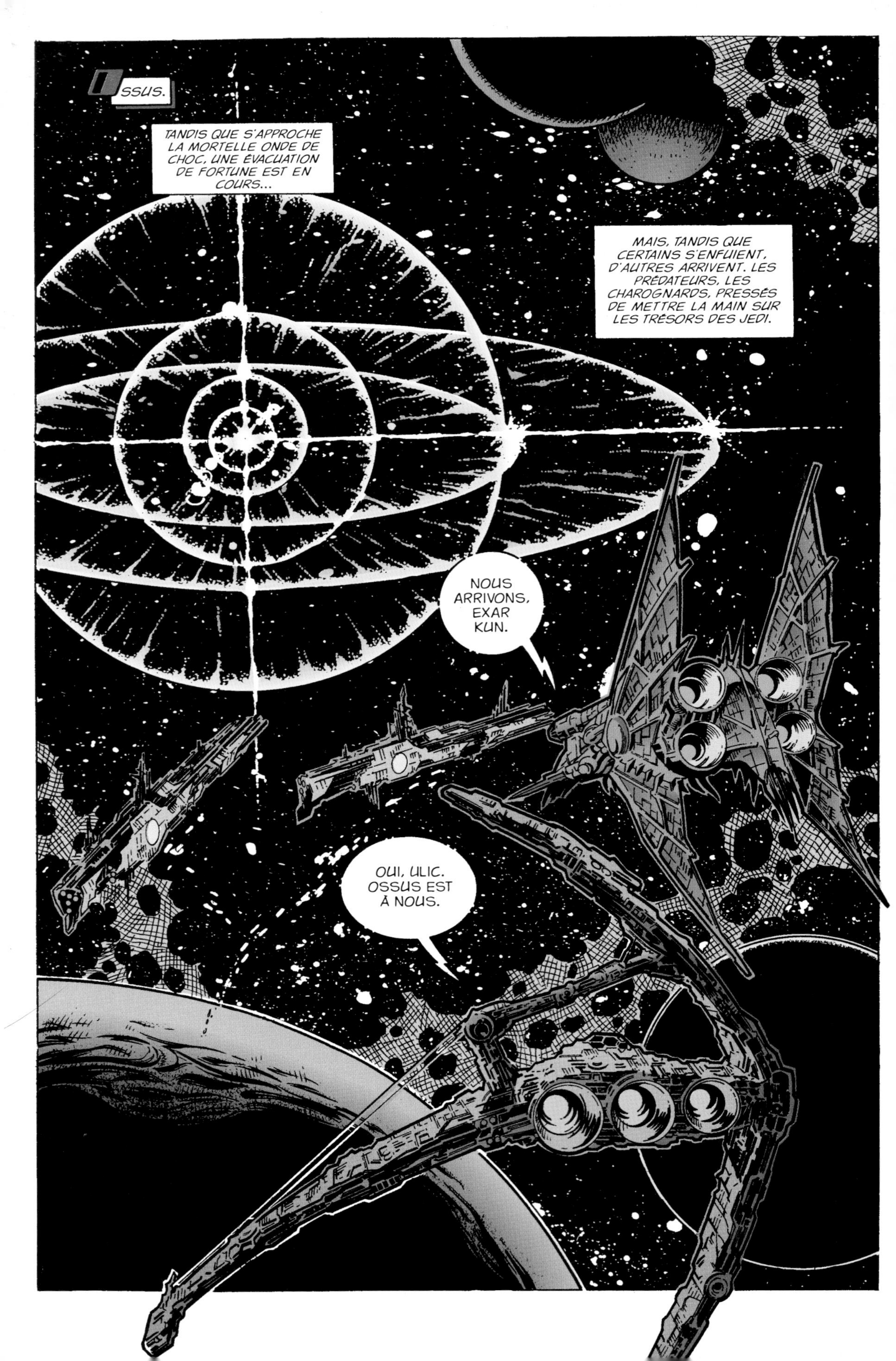
OSSUS.
TANDIS QUE S'APPROCHE LA MORTELLE ONDE DE CHOC, UNE ÉVACUATION DE FORTUNE EST EN COURS...
MAIS, TANDIS QUE CERTAINS S'ENFUIENT, D'AUTRES ARRIVENT. LES PRÉDATEURS, LES CHAROGNARDS, PRESSÉS DE METTRE LA MAIN SUR LES TRÉSORS DES JEDI.
NOUS ARRIVONS, EXAR KUN.
OUI, ULIC. OSSUS EST À NOUS.

MANDALORE ET SES HOMMES SONT PARTIS ATTAQUER IZIZ, SUR ONDERON.
MAIS OSSUS NE NOUS DONNERA AUCUN MAL.
BSORBÉ PAR L'ÉCLAT DE LA SUPERNOVA, LE REGARD DE KUN N'EST PAS TROUBLÉ PAR LA PENSÉE DE SON AMI CARDO...
... QU'IL A ENVOYÉ À UNE MORT CERTAINE.
MAIS ULIC QEL-DROMA, LUI, TENTE DE METTRE FIN À SES PENSÉES POUR ALEEMA LA TRAÎTRESSE, QUI A PROVOQUÉ CE CATACLYSME COSMIQUE.
LANCEZ TOUS LES DROÏDES D'ATTAQUE !
BIEN QUE DE NOMBREUX GUERRIERS DE MANDALORE AIENT SUIVI LEUR CHEF, ULIC EN A GARDÉ ASSEZ POUR SEMER LA TERREUR.
ESCADRON ALPHA, PRÊT À PARTIR !
A MON COMMANDEMENT ! A L'ATTAQUE !
A L'ATTAQUE !

TANDIS QUE SUR OSSUS...
DÉPÊCHEZ-VOUS ! L'ORAGE DE FEU S'APPROCHE !

UN MILLIER D'ANNÉES D'HISTOIRE JEDI DOIVENT ÊTRE RECUEILLIS EN QUELQUES HEURES !
PAS LE TEMPS DE TRIER L'INDISPENSABLE ET LE PRÉCIEUX.
IL FAUT TOUT EMPORTER EN VRAC, SE PRESSER... ET ESPÉRER.

IENTÔT, LE CHAOS S'ABATTRA SUR LES PRÉCIEUX JARDINS, LES ARCHIVES...
... ET OSSUS NE SERA PLUS QU'UN CHAMP DE RUINES.
LES PRÉPARATIFS DÉSESPÉRÉS ONT UN EFFET ÉCRASANT SUR LES JEDI QUI ASSISTENT À LA SCÈNE.
NOUS FAISONS TOUT CE QUE NOUS POUVONS...
... MAIS NOUS VOUDRIONS FAIRE PLUS !
TOUT EST DÉJÀ PERDU. NGRRTH CHA ! OSSUS... OSSUS...
MAÎTRE THON, NOUS DEVONS EM-BARQUER SUR UN DES VAISSEAUX D'ÉVACUATION.

NOUS TERMINONS NOS PRÉPARATIFS, MAÎTRE THON.
HHRSSHH... VIENS, MON ENFANT... NOUS DEVONS TE METTRE EN SÉCURITÉ. CHHA !

REGARDEZ ! CE VAISSEAU ! VOUS SENTEZ !

C'EST ULIC ! JE LE SENS ! IL NOUS REVIENT !
ULIC ! JE N'OSE Y CROIRE !

J'ARRIVE, ULIC !

TOUS LES DROÏDES SONT DÉPLOYÉS POUR L'APPROCHE FINALE... QUOI ?
ZZHABAM !
HA ! ULIC ! COMBIEN J'AI ATTENDU CE MOMENT !
CAY ! CESSE DE TE MÊLER DE MES AFFAIRES ! LAISSE-MOI TRANQUILLE !
NE VOULANT PAS COMBATTRE SON FRÈRE, ULIC QEL-DROMA TENTE UNE MANOEUVRE D'ÉVITEMENT.

BIEN MAL LUI EN PREND. LE NEBULON RANGER OPÈRE DES FRAPPES CHIRURGICALES SUR SES MOTEURS !
ALLEZ, ULIC ! IL FAUT QU'ON SE PARLE !

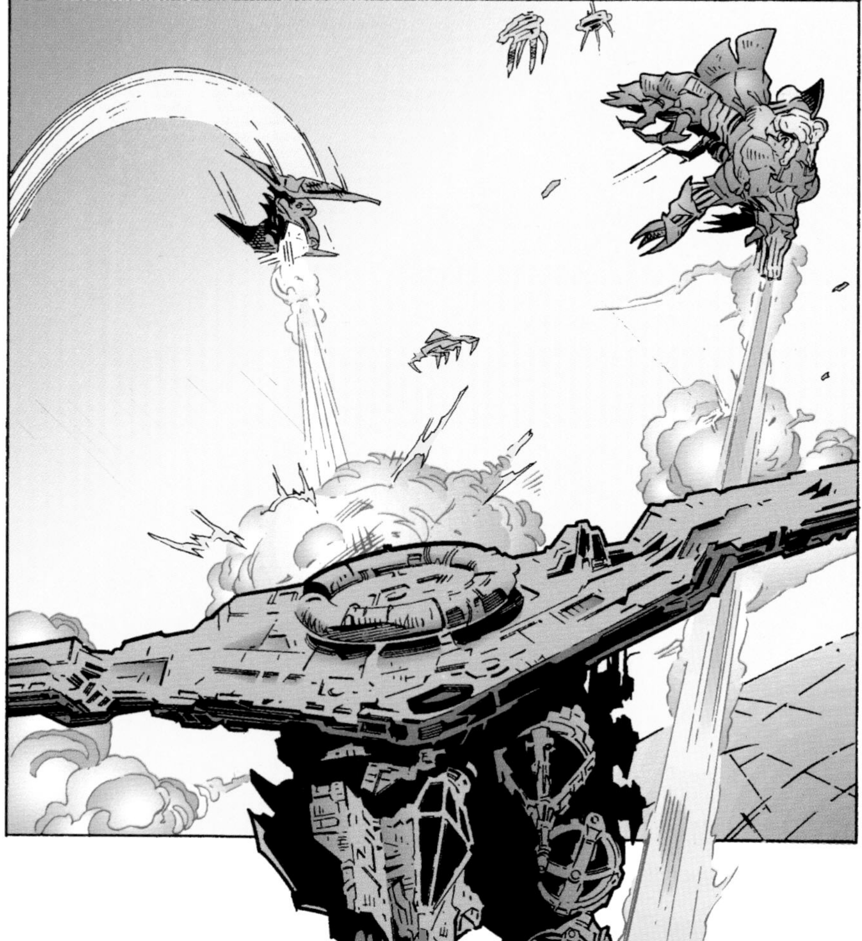

ULIC ! ARRÊTE ! JE VAIS M'ÉCRASER !

ORS DE PORTÉE DE LA BATAILLE, LE STARSTORM D'EXAR KUN ATTERRIT AU MILIEU DES OPÉRATIONS D'ÉVACUATION.
TEL UN EMPEREUR SUR UNE TERRE CONQUISE, KUN SORT DE SON VAISSEAU EN VAINQUEUR.
J'AIME L'ODEUR D'HISTOIRE ET DE POUVOIR DE CE LIEU !
NOUS AVONS PEU DE TEMPS POUR TOUT RAMASSER !

SOLÉ DANS UNE ALCOVE SECRÈTE DES ARCHIVES JEDI, UN AUTRE MAÎTRE RASSEMBLE DES TRÉSORS ANCIENS.
BEAUCOUP DE POUVOIR SUR CETTE PLANÈTE... VIEILLE TRADITION D'APPRENTIS-SAGE JEDI.
PEUT-ÊTRE OSSUS POURRA-T-ELLE PROTÉGER ELLE-MÊME SES TRÉSORS...
LES ANCIENS SABRELASERS, LES PREMIÈRES ARMES CRÉÉES PAR LES JEDI...
EXAR KUN !
AH ! MAÎTRE OOD ! MERCI D'AVOIR PRÉSERVÉ TOUT CECI POUR NOUS.
J'EN FERAI BON USAGE PENDANT LE NOUVEL ÂGE D'OR.

CES SABRELASERS APPARTIENNENT AUX JEDI...
JE DONNERAI MA VIE POUR EUX, S'IL LE FAUT !
DOMMAGE ! JE VAIS DEVOIR COUPER DU BOIS, AUJOURD'HUI...
ZZZSSSHHHZZZ
GRRTHNN HHKKEK!

UN EST TROP PUISSANT POUR ÊTRE BATTU. MAIS MAÎTRE OOD A D'AUTRES MOYENS DE PROTÉGER SES TRÉSORS.
JE NE SUIS PAS UN GRAND COMBATTANT, EXAR KUN...

MAIS JE PEUX INVOQUER DES ÉNERGIES QUE TU IGNORES...
MONTANT DES PROFONDEURS D'OSSUS, LA FORCE EMPLIT LE CORPS CHANGEANT DU MAÎTRE JEDI !
JE PROTÈGERAI CES SABRELASERS ...
...MÊME SI JE DOIS RESTER ICI JUSQU'À LA FIN DES TEMPS.

VIEILLARD STUPIDE !
IL RESTERA COINCÉ ICI QUAND L'OURAGAN DE FEU FRAPPERA OSSUS.
J'AURAIS PRÉFÉRÉ QU'IL ME LIVRE CES SABRELASERS...
MAIS MÊME SANS EUX, NOTRE VICTOIRE EST ASSURÉE.
VIENS ! LES AUTRES MASSASSI ONT CHARGÉ TOUT CE QU'ILS POUVAIENT SUR LE STARSTORM.

OURDS DE TOUS LES TRÉSORS JEDI, LES SERVITEURS MASSASSI LIVRENT À EXAR KUN UNE RICHESSE ET UN SAVOIR DÉMESURÉS.
EXAR KUN!
QUOI, ENCORE ?
TU AS CORROMPU MON COMPAGNON, CARDO ! TU AS TUÉ MAÎTRE VODO ! TU AS BRISÉ LA PAIX DE NOTRE GALAXIE !
PAR MON SABRELASER, TU VAS MOURIR !

AURAIS-TU PEUR DE MOI, EXAR KUN ?
CES MAUVIETTES NE M'ARRÊTERONT PAS !

EXAR KUN ! C'EST TOI, QUE JE VEUX ! CRAINS-TU DE COMBATTRE ?
VA, ET TUE-LÀ. NOUS N'AVONS PAS DE TEMPS À PERDRE.
J'AI BEAUCOUP MIEUX À FAIRE !
VIENS, REGAGNONS YAVIN QUATRE POUR FAIRE LE BILAN DE NOTRE BUTIN !
ULIC QEL-DROMA SE DÉBROUILLERA BIEN TOUT SEUL !

TOUS LES JEDI RASSEMBLÉS NE PEUVENT PRÉSERVER QU'UNE INFIME PARTIE DES TRÉSORS D'OSSUS.
ÇA NE SUFFIT PAS. MÊME EN UN AN, NOUS NE POURRIONS PAS TOUT SAUVER.
TOUT CE QUI RESTE SERA PERDU À JAMAIS !
QUELQU'UN, LÀ-DEDANS ? C'EST VOTRE DERNIÈRE CHANCE DE PARTIR !
ICI, Y'A PLUS PERSONNE.
QUE TOUS LES HOMMES RETOURNENT AUX POSTES D'EMBARQUEMENT ! VITE ! L'ONDE DE CHOC SERA ICI DANS MOINS DE DEUX HEURES !
QUOI ? NOUS SOMMES ATTAQUÉS ? MAINTENANT ?
GRR HFFF. VOICI VENIR LES CHAROGNARDS...
ILS NE VEULENT PAS ATTENDRE POUR VENIR SE SERVIR !
MAMAN ! 'GARDE ! DES FUSÉES !

ICI VAISSEAU D'ÉVACUATION KEDRISS UN ! NOUS SOMMES ATTAQUÉS !
MOTEURS ENDOMMAGÉS... SURCHARGE... AAAAGGH!

C'EST CAY ! IL EST EN DIFFICULTÉ !
ET ULIC !

ET, MALGRÉ SON EXPÉRIENCE, CAY QEL-DROMA NE PEUT ÉVITER LE CRASH.
IL FAUT QUE JE SORTE... CE VAISSEAU PEUT EXPLOSER D'UNE MINUTE À L'AUTRE...
ALLEZ, RANGER ! TIENS BON ENCORE QUELQUES SECONDES...
ULIC ! TU ES BLESSÉ ?
TU AS ATTERRI SANS DOMMAGE. NE ME FORCE PAS À CHANGER ÇA.

ULIC ! TU
ES BLESSÉ !
TU SAIGNES !
C'EST UNE VIEILLE
BLESSURE. UNE BLES-
SURE SITH !
TU NE POURRAS
PAS LA REFERMER.
ULIC ! JE NE
VEUX PAS FAIRE
ÇA...
... MAIS JE DOIS
TE SAUVER DE TOI-
MÊME. T'ARRACHER
AU CÔTÉ
OBSCUR !

LE POISON SITH, ULIC ! TU N'ES PAS TOI-MÊME !
REPOUSSE LES FORCES DU MAL !
CONTRÔLE TA COLÈRE ! LA MORT DE MAÎTRE ARCA T'A POUSSÉ À CHERCHER VENGEANCE !
C'EST CELA QUI A OUVERT TON ESPRIT AU MAL ! MAIS TU NE POUVAIS PAS LE SAUVER !
IL EST MORT POUR TE PROTÉGER ! NE REJETTE PAS SON SACRIFICE.

NOOON ! JE VAIS TE...
... FAIRE...
... TAIRE !

MON BRAS !

ULIC ! JE T'AIME ! C'EST POUR TOI, QUE JE ME BATS...
ALORS, TU AURAIS DÛ...
... ME LAISSER...
... TRANQUILLE !

CAY, MON FRÈRE ! QU'EST-CE QUE J'AI FAIT ?
CAAAAYYYYY!

NOMI SUNRIDER, VOYANT SON AMI TUÉ PAR CELUI QU'ELLE AIMA JADIS, EST ÉPOUVANTÉE PAR LES MÉFAITS DU CÔTÉ OBSCUR.
ULIC, SOIS À JAMAIS MAUDIT POUR CE QUE TU AS FAIT !
REGARDE OÙ T'ONT CONDUIT TON ORGUEIL ET TON APPÉTIT DE VENGEANCE !
CAY... CAY... PARDONNE-MOI !
TU ES RESPONSABLE DE TOUT CE QUI T'ARRIVE. LES MAÎTRES JEDI AVAIENT RAISON, ULIC...
... TU DOIS SUBIR LES CONSÉQUENCES DE CE QUE TU AS DÉCLENCHÉ.
NOMI ! QUE FAIS-TU ? N'Y A-T-IL PAS EU ASSEZ DE...

AH, ULIC... JE T'AIMAIS... MAIS C'EN EST TROP!
JE T'EMPRISONNE DANS UNE MURAILLE DE LUMIÈRE. TU SERAS À JAMAIS SÉPARÉ DE LA FORCE...
TU SERAS AVEUGLE AUX POUVOIRS DES JEDI !
NOMI, PITIÉ... JE SUIS SI FAIBLE !
QUE LUI AS-TU FAIT ?
CE QUE MAÎTRE ODAN-URR M'A APPRIS. A NEUTRALISER UN ENNEMI SANS VIO-LENCE...
MAIS JE NE PENSAIS PAS QUE ÇA SERAIT SI RADICAL...
ET J'IGNORE COM-MENT DÉFAIRE CE QUE J'AI FAIT !
JE SUIS AVEUGLE À LA FORCE ! JE NE SUIS PLUS UN JEDI !

ONDERON.
GUERRIERS, PRÉPAREZ-VOUS À ATTAQUER !
NOUS AVONS ATTEINT ONDERON, ANCIENNE DEMEURE DE FREEDON NADD, LE JEDI NOIR !
NOUS ALLONS CONQUÉRIR CET ENDROIT AINSI QUE NOTRE SEIGNEUR ULIC QEL-DROMA NOUS L'A ORDONNÉ !

SES HABITANTS N'OFFRIRONT AUCUNE RÉSISTANCE !
EN AVANT !
UNE FOIS PAR SAISON, DXUN, LA LUNE DES DÉMONS, S'APPROCHE SI PRÈS D'ONDERON QUE LEURS ATMOSPHÈRES ENTRENT EN CONTACT, ET QUE DES BÊTES FÉROCES PASSENT DE L'UNE À L'AUTRE...
... MAIS AUJOURD'HUI, UN ASSAUT BIEN PLUS MORTEL EST LANCÉ DU CIEL !

AU PALAIS ROYAL D'IZIZ, ORON KIRA ET LA REINE GALIA VEILLENT SUR LA VILLE QU'ILS ONT ARRACHÉE AU CÔTÉ OBSCUR.
ORON, QUE SONT CES FORMES, DANS LE CIEL ? CE NE SONT PAS NOS DRAGONS !
NON, C'EST BIEN PIRE, J'EN AI PEUR...
EN RAISON DU DANGER QUE REPRÉSENTE LA LUNE DE DXUN, LES DRAGONS-GUERRIERS D'ORON KIRA SONT SANS CESSE EN ALERTE.
SONNE L'ALARME ! APPELLE LES DRAGONS-GUERRIERS !
SOLDATS ! EN AVANT, DÉFENDONS NOTRE CITÉ CONTRE LES ENVAHISSEURS !

NOUS POUVONS CONQUÉRIR CETTE CITÉ AVANT QU'ULIC ET NOS COMPAGNONS EN AIENT FINI AVEC OSSUS.
A L'ATTAQUE ! PAS DE QUARTIER !
CITÉ D'IZIZ ! NOUS EXIGEONS VOTRE REDDITION IMMÉDIATE !
NOUS NE SERONS PAS DES ADVERSAIRES FACILES, ENVAHISSEUR !
LA RÉPUBLIQUE NOUS ENVOIE DES RENFORTS, SEIGNEUR KIRA !
ALORS NOUS DEVRONS TENIR JUSQU'À LEUR ARRIVÉE !

TOUTE PRIMITIVE QU'ELLE SOIT, L'ARMÉE DES DRAGONS-GUERRIERS D'ONDERON SE MONTRE L'ÉGALE DE L'ÉQUIPEMENT DROÏDE DES MANDALORIENS...
NOUS AVONS DÉJÀ AFFRONTÉ LES VERMINES VENUES DU CIEL...
...VOUS N'ÊTES PAS DIFFÉRENTS DES MONSTRES DE DXUN !
NOUS SOMMES TRÈS DIFFÉRENTS... CAR NOUS ALLONS VOUS VAINCRE !

OSSUS.
GGNNRR.. JE PENSAIS QUE NOUS AVIONS DÉJÀ VU TROP DE MALHEURS...
ET NOUS DEVONS EN VOIR ENCORE ...
MAÎTRE THON ! J'ÉTAIS SI HORRIFIÉE, TELLEMENT RÉVOLTÉE... QUE J'AI PERDU CONTRÔLE.
J'AI EU RECOURS AUX POUVOIRS QUE M'A ENSEIGNÉS MAÎTRE ODAN-URR...
JE N'AI PAS PU M'EN EMPÊCHER.
PAUVRE ULIC ! REGARDEZ-LE...
D'ABORD THON, MON MAÎTRE... ENSUITE CAY, MON FRÈRE... ET MAINTENANT MES POUVOIRS...
JE N'AI PLUS RIEN !
ULIC QEL-DROMA N'EST CEPENDANT PAS LA SEULE VICTIME DES SITH...
JE COMPRENDS TON DÉSESPOIR ET TA CULPABILITÉ, ULIC... MAIS NOUS DEVONS ARRÊTER EXAR KUN...
C'EST NOTRE DEVOIR DE JEDI...

JE SAIS OÙ LE TROUVER.
JE VAIS VOUS Y CONDUIRE...

IL EST... SUR YAVIN QUATRE !

NOUS ALLONS RASSEMBLER TOUS LES JEDI CONTRE NOTRE DERNIER ENNEMI.
NOUS DEVONS NOUS HÂTER. L'ONDE DE CHOC EST PROCHE.
HHZZNNN. QUE TOUT LE MONDE EMBARQUE.
JE DOIS DIRE AU REVOIR À UN VIEIL AMI.

SSZZRR... JE NE PEUX REMETTRE EN CAUSE TA DÉCISION, OOD, MON AMI...
... MAIS JE SUIS TRISTE DE TE PERDRE AINSI.
N'AIE PAS DE CHAGRIN, THON. CETTE MÉTAMORPHOSE FAIT PARTIE DU CYCLE DE MA VIE.
J'AI PROTÉGÉ MES TRÉSORS... J'AI MIS EXAR KUN EN ÉCHEC... JE SUIS SATISFAIT...
ET PEUT-ÊTRE QU'OSSUS ME PROTÈGERA... UN PEU.
QUE LA FORCE SOIT AVEC TOI, MON AMI...

ALORS, L'ONDE DE CHOC FRAPPE...
... ET IL N'Y A PLUS D'ABRI...
... MÊME POUR UN MAÎTRE JEDI.
L'EXPLOSION DES DIX SOLEIL RAVAGE LA SURFACE D'OSSUS, COMME UNE LANGUE DE FEU.
JE REÇOIS DES MESSAGES DE TOUS LES JEDI, DES MILLIERS...
OUI, HNNNN, LES JEDI SAVENT QUE SEULE LA LUMIÈRE PEUT VAINCRE LES SITH. NGGRRR
TOUS À YAVIN QUATRE !

ONDERON.
TANDIS QUE LA BATAILLE AÉRIENNE SE POURSUIT ENTRE MANDALORE ET KIRA, DE NOUVEAUX ARRIVANTS TOMBENT DU CIEL !
ICI LE CAPITAINE VANICUS...
... J'AMÈNE LES RENFORTS DE LA RÉPUBLIQUE !
GUERRIERS DE MANDALORE, RENDEZ-VOUS ! VOTRE SEIGNEUR, ULIC QEL-DROMA, A ÉTÉ DÉFAIT !
VOTRE CAUSE A PERDU !
NON ! SE RENDRE, C'EST TRAHIR ! NOUS COMBATTRONS ! POUR VAINCRE OU POUR MOURIR !
ALORS, IL VOUS FAUDRA MOURIR !

BA-THOOOM!
ILS SE REPLIENT !
TOUS LES MANDALORIENS COMBATTENT PIED À PIED, MAIS LES CHASSEURS DE LA RÉPUBLIQUE ET LES DRAGONS-GUERRIERS ONT LE DESSUS !
ILS REFUSENT DE SE RENDRE, CHEF ! ET LEURS BOUCLIERS LES PROTÈGENT !
ALORS, PUISSANCE MAXIMUM !
VOYANT SES VAISSEAUX D'ORBITE DÉTRUITS ET SES TROUPES DÉCIMÉES, MANDALORE COMPREND QU'IL N'A PLUS LE CHOIX...
GUERRIERS, REPLIONS-NOUS SUR DXUN !
NOUS POURRONS NOUS CACHER DANS LA JUNGLE !

POURSUIVEZ-LES ! ILS TRAVERSENT LA ZONE TRANSATMOSPHÉRIQUE !
EH BIEN, LES MONSTRES DE DXUN VONT S'OCCUPER D'EUX !
TOUCHÉ !

CELUI-CI EST EN PERDITION. AU SUIVANT !
VITE ! LES AUTRES S'ÉCHAPPENT !

SNIKK!

TOUTES LES FORCES JEDI CONVERGENT VERS YAVIN QUATRE.
LE CÔTÉ OBSCUR ME MINE ENCORE... MAIS MAÎTRE THON M'A RAMENÉ...
... ET SEULE LA LUMIÈRE PEUT ME GUÉRIR.

NOUS DEVONS CRÉER UN MUR DE LUMIÈRE...
... POUR PURIFIER... OU POUR DÉTRUIRE.
ET LES JEDI SE PRÉPARENT À LEUR DERNIÈRE BATAILLE CONTRE LE CÔTÉ OBSCUR.

DES MILLIERS ET DES MILLIERS DE CHEVALIERS DE LA FORCE S'APPROCHENT DE LA MINUSCULE PLANÈTE.

ULIC QEL-DROMA, LE PREMIER, ENTRE EN CONTACT AVEC SON ANCIEN ALLIÉ.
EXAR KUN, LES CHEVALIERS JEDI DE LA RÉPUBLIQUE SE SONT LIGUÉS CONTRE TOI.

EXAR KUN, NGGRRSSH, TON RÊVE D'ÂGE D'OR DES SITH N'EST QU'UN CAUCHEMAR...
... DONT NOUS ALLONS NOUS ÉVEILLER.

YAVIN QUATRE.
AU SOMMET DU GRAND TEMPLE QUE SES MASSASSI LUI ONT ÉDIFIÉ, EXAR KUN REGARDE.
ULIC ! TU M'AS TRAHI !
SEUL, JE NE PEUX COMBATTRE L'ENSEMBLE DES JEDI !
MAIS AVEC LE SAVOIR SITH QUE J'AI ACCUMULÉ, JE PEUX COMBATTRE AUTREMENT...
... JE PEUX SURVIVRE.
MAIS MON PLAN N'ÉCHOUERA PAS. LES SECRETS DES SITH OUVRENT SUR DES MONDES QUE JE NE CONNAIS PAS...
... MAIS DONT JE PEUX UTILISER LA PUISSANCE !
TOI... VA DANS UNE CHAMBRE D'ISOLEMENT, SOUS LE TEMPLE.
SI MON PLAN ÉCHOUE, TU SERAS MA DERNIÈRE SURPRISE.

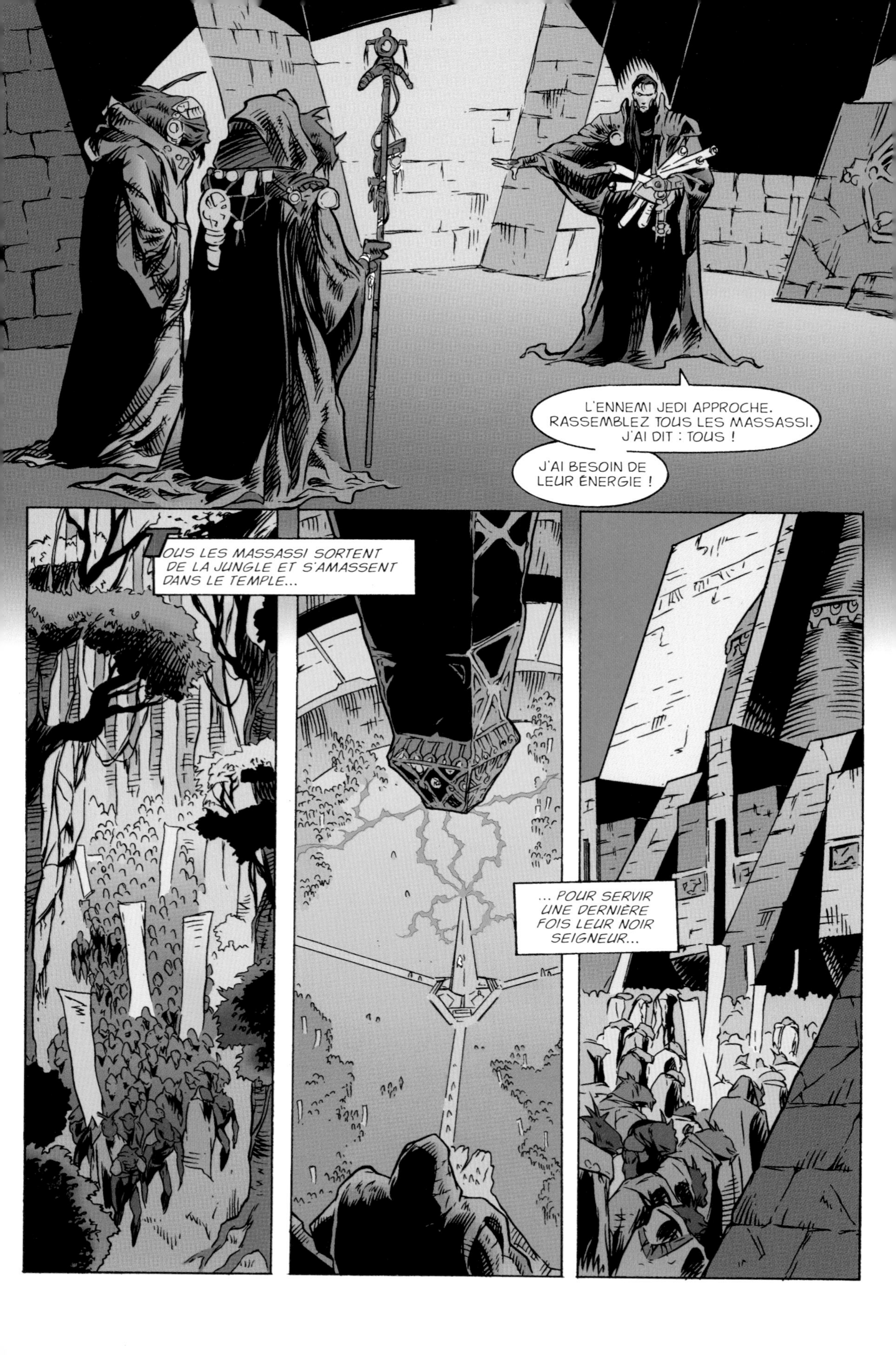
L'ENNEMI JEDI APPROCHE. RASSEMBLEZ TOUS LES MASSASSI. J'AI DIT : TOUS !
J'AI BESOIN DE LEUR ÉNERGIE !
TOUS LES MASSASSI SORTENT DE LA JUNGLE ET S'AMASSENT DANS LE TEMPLE...
... POUR SERVIR UNE DERNIÈRE FOIS LEUR NOIR SEIGNEUR...

DE L'IMMENSE ASSEMBLÉE, LES MALÉFICES SITH...
... DRAINENT LES ÉNERGIES.
LE RITUEL COMMENCE...
... ET LES POUVOIRS SITH SE LIBÈRENT.

ALORS MÊME QUE LES JEDI S'APPROCHENT, EXAR KUN SE PRÉPARE À AFFRANCHIR SON PUISSANT ESPRIT...
... À LE LIBÉRER DES CHAÎNES DE LA CHAIR, POUR HANTER LE COSMOS !
MON ESPRIT VIVRA À JAMAIS !

A JAMAIS !

TRÈS HAUT AU DESSUS DU TEMPLE, LA MURAILLE PSYCHIQUE DES JEDI PROJETTE SUR LA PLANÈTE TOUTE LA LUMIÈRE DE LA FORCE...
... UNE LUMIÈRE QUI INONDE ET ÉTOUFFE LE POUVOIR CORROMPU DES SITH...
... ET SON SUPPÔT, EXAR KUN.

BIENTÔT, LA LUMIÈRE ENTRAÎNE UNE RÉACTION EN CHAÎNE DESTRUCTRICE.
REGARDEZ ! TOUTE LA PLANÈTE EST EN FLAMMES !
COMMENT EST-CE POSSIBLE ? AVONS-NOUS FAIT CELA ?
OU SERAIT-CE UNE NOUVELLE MANOEUVRE D'EXAR KUN ?
L'INCENDIE EMBRASE LA JUNGLE À UNE VITESSE EFFRAYANTE.
RIEN NE PEUT LUI SURVIVRE...
ALORS, NOUS AVONS VAINCU EXAR KUN...
... MAIS À QUEL PRIX ?
GRRRSHHH ! OUI ! A QUEL PRIX ?
ET, ALORS QUE LES FLAMMES INSATIABLES RAVAGENT LA SURFACE DU SATELLITE, LES JEDI S'EN VONT...
... RECONSTRUIRE LA GALAXIE ET LA RÉPUBLIQUE, SUR LES CENDRES DE LA MENACE SITH.

TERRÉS SUR DXUN...
...LES DERNIERS MANDALORIENS ARPENTENT LA JUNGLE À LA RECHERCHE DE LEUR CHEF.
MANDALORE!
IL A DISPARU.

ATTENDEZ ! J'AI TROUVÉ QUELQUE CHOSE.

SAISISSANT LE MASQUE, LE GUERRIER POURSUIT LA TRADITION.

JE SUIS LE NOUVEAU MANDALORE !

YAVIN QUATRE, DEUX ANS PLUS TARD.
APRÈS UN PÈLERINAGE SUR LA TOMBE DE SON FRÈRE, UN ANCIEN JEDI POURSUIT SA QUÊTE.
ICI ULIC QEL-DROMA. ME RECEVEZ-VOUS ? Y A-T-IL DES SURVIVANTS, ICI ?
ULIC POSE SON NOUVEAU VAISSEAU, LE "RÊVE DE CAY".
JE NE PEUX PAS M'EN EMPÊCHER...
... JE DOIS SAVOIR CE QUI S'EST PASSÉ.
EXAR KUN, QU'AS-TU FAIT ?

J'AI PARCOURU LA GALAXIE POUR TROUVER UN MOYEN DE REDEVENIR JEDI...
... DE ME RACHETER, ET DE RETROUVER MES POUVOIRS.
MAIS JE SUIS FERMÉ À LA FORCE... JE NE SENS RIEN ICI.
RIEN QUE LA TRISTESSE ET LA DESTRUCTION QUE ME RÉVÈLENT MES YEUX.
SOMBRE ET SOLITAIRE, ULIC QEL-DROMA S'ÉLOIGNE.
JE NE TROUVERAI RIEN EN CE LIEU.

ULIC !
JE SENS
QUE TU ES
LÀ !

IL FAIT SOMBRE.
JE SUIS PRISONNIER.
J'AI SURVÉCU, MAIS
JE SUIS PRIS.

FIN

STAR WARS®

LÉGENDES DES

JEDI™

PORTFOLIO DES COUVERTURES ORIGINALES

Hugh Fleming 95

Hugh Fleming '95

Hugh
Fleming
'95

Hugh '95